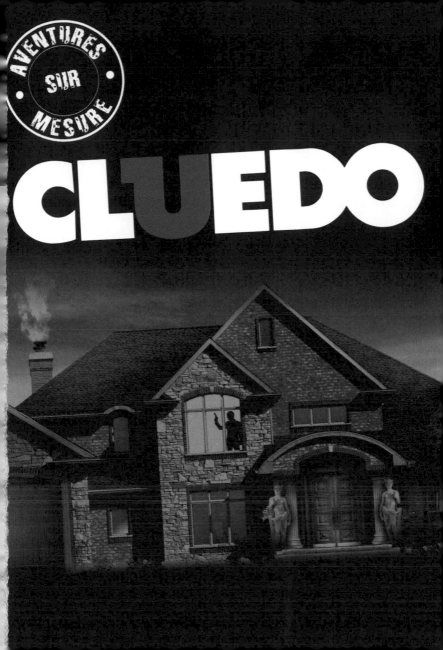

© Hachette Livre, 2013.
Écrit par Michel Leydier.
Conception graphique du roman : Audrey Thierry.

Hachette Livre, 43, quai de Grenelle, 75015 Paris.

CLUEDO

Madame Pervenche

hachette
JEUNESSE

COMMENT LIRE CE LIVRE ?

Tu estimes que ce document est suffisant pour aller l'affronter et lui demander des comptes.

Si tu décides de le faire publiquement, va au 87.

Si tu préfères t'isoler avec lui, va au 91.

LES CHOIX

À CHAQUE FIN DE CHAPITRE, CE VISUEL T'INDIQUE OÙ CONTINUER TA LECTURE. S'IL ANNONCE « VA AU 15 », TU DEVRAS CHERCHER LE CHAPITRE 15 POUR CONTINUER TON AVENTURE. ATTENTION, PARFOIS, PLUSIEURS CHOIX TE SONT PROPOSÉS... À TOI DE FAIRE LE BON !

Tu ne te souviens pas avoir jamais mis les pieds dans la chambre du docteur. Vous aviez beau être très liés, chacun avait son jardin secret, et le docteur était un homme pudique.

Tu découvres une chambre aménagée avec goût, de belles peintures murales aux tons chauds, un parquet et des meubles qui sentent bon les maisons de campagne d'antan.

Mais tu n'es pas là pour un inventaire des lieux. Tu te mets aussitôt en quête de… En quête de quoi ? Tu aimerais bien le savoir car tu pars de rien. Tu laisses ton instinct te guider.

L'armoire de la chambre te tend les bras. Tu l'ouvres. Hélas, elle ne contient que des vêtements et du linge de maison. Une fouille rapide de la commode ne t'apprend rien de plus. De l'autre côté de la pièce se trouve une table avec quelques objets posés dessus, dont un ordinateur portable et des livres. Là encore, rien ne retient ton attention. Restent les deux tables de chevet. Une lampe est posée sur la première. Le tiroir renferme quelques boîtes de médicaments : pastilles pour la gorge, somnifère, paracétamol… Rien d'extraordinaire.

LES CHAPITRES
POUR REPÉRER LES CHAPITRES, CHERCHE
LES NUMÉROS COMME CELUI-CI.

INVITATION

Chère Madame Pervenche,

On n'a pas assez d'une vie pour profiter de ses amis !
Retrouvons-nous autour d'un dîner, lundi prochain, avant
qu'il ne soit trop tard...

Docteur Lenoir

Madame Pervenche
C'est toi !

Riche politicienne en vue, on peut dire que tu aimes briller en société ! N'es-tu pas engagée dans toutes les causes qui te permettent d'être sous le feu des projecteurs ?

Crainte et respectée, tu n'as pas peur de prendre les choses en main et tu ne supportes pas qu'on contrecarre tes plans.

De par ton métier, tu sais être très convaincante. C'est un atout majeur pour mener une enquête. Mais, attention, ton assurance frôle souvent l'arrogance, et cela pourrait bien te jouer des tours !

À toi de jouer !

Monsieur Olive

Monsieur Olive est souvent devancé par sa réputation de charmeur... Il sait jouer de son charme pour arriver à ses fins, quelles qu'elles soient !

Mademoiselle Rose

Mademoiselle Rose est sublime. C'est simple, elle pourrait être top-modèle ! L'ennui, avec les jolies femmes, c'est qu'elles doivent se battre pour prouver qu'elles sont autre chose qu'un physique...

Madame Leblanc

Madame Leblanc est une éminente avocate. Prête à tout pour faire régner la justice, elle en fait trembler plus d'un...

Monsieur Violet

Monsieur Violet pourrait être qualifié de génie ! Inventeur de renommée internationale, il est doté d'une intelligence hors normes...

Monsieur Moutarde

Monsieur Moutarde est un expert en arts martiaux. Mieux vaut ne pas le mettre en colère : sa force herculéenne est une légende dans le monde sportif !

SALON

JARDIN

?

GARAGE

LES PIÈCES DE LA VILLA

La villa du docteur Lenoir est grandiose !
Cuisine, salon, bureau, chambre,
salle de jeux… Pour explorer le moindre
recoin de cette immense maison,
une vie entière ne suffirait pas !

La corde

Le pistolet

Le tuyau

**La clef
à molette**

Le poignard

Le chandelier

Le poison

Qui n'a jamais rêvé d'enquêter sur un crime ?

Toi qui dévores les romans policiers, qui essaies de deviner le coupable d'une série policière avant tout le monde, tu vas enfin pouvoir mener ta propre enquête !

En participant à cette aventure Cluedo, toi, Madame Pervenche, tu devras élucider un meurtre. Pour cela, il te faudra faire preuve d'intelligence, de psychologie et de perspicacité. Tu vas avoir pour lourde tâche de découvrir l'identité du coupable, l'arme qu'il a utilisée, ainsi que son mobile.

Si tu ne tournes pas de l'œil à la vue d'une goutte de sang et ne crains pas de tomber sur un cadavre, tourne la page…

Voilà dix minutes que tu cherches à faire démarrer cette satanée Mercedes, mais rien ne se produit. Ça tombe vraiment mal car, ce soir, tu es attendue à dîner chez le docteur Lenoir.

Tu appelles ton garagiste habituel mais, faute de temps, il ne pourra pas te dépanner avant plusieurs jours.

Par chance, le docteur Lenoir t'a communiqué la liste de ses invités. L'un d'entre eux n'habite pas très loin de chez toi. Tu composes le numéro de son téléphone portable.

— Allô, Monsieur Moutarde ? Ici Madame Pervenche. Si vous n'êtes pas déjà arrivé, auriez-vous la gentillesse de passer me prendre en allant chez le docteur ?

Ton interlocuteur t'affirme que ce sera un plaisir pour lui de te conduire à ce dîner.

Un quart d'heure plus tard, tu t'assieds sur le cuir moelleux du coupé BMW de Monsieur Moutarde.

Vous roulez à travers la ville tandis que la nuit commence à tomber. Fidèle à sa réputation, Monsieur Moutarde n'est pas très bavard. Chopin et ses préludes vous accompagnent jusque chez le docteur.

Vous arrivez enfin, et Monsieur Moutarde se gare devant la grille en inspectant les voitures en stationnement.

— On dirait que nous sommes les derniers, commente-t-il.

Tu descends du véhicule en ajustant ton foulard et ta veste. Gentleman, Monsieur Moutarde referme la portière derrière toi et va sonner.

Antoine, le majordome, vous reconnaît sur son écran de contrôle et vous ouvre la grille télécommandée depuis le vestibule.

Lorsque vous parvenez au perron de l'élégante demeure, après avoir parcouru l'allée de graviers gris qui y mène, le maître des lieux vous reçoit comme à son habitude.

— Soyez les bienvenus, mes amis !

Il te baise la main avant de serrer chaleureusement celle de Monsieur Moutarde.

— Nous n'attendions plus que vous, ajoute-t-il.

Il vous guide jusqu'au salon où vous retrouvez de vieilles connaissances : Madame Leblanc, Mademoiselle Rose, ainsi que Messieurs Olive et Violet.

L'ambiance semble détendue.

Antoine vous propose un jus de fruit, que vous acceptez. Vous échangez quelques paroles amicales avec les uns et les autres, puis le docteur réclame votre attention :

— Mes chers amis, maintenant que nous sommes tous réunis, je vous propose de passer dans la salle à manger.

 Suis le groupe et va au 2.

Vous vous installez autour de la longue table recouverte d'une nappe blanche, sur laquelle des verres en cristal, des assiettes en porcelaine et des couverts en argent ont été disposés avec soin.

Lorsque vous êtes assis, Antoine sert à chacun une flûte de champagne. Ensuite, votre hôte se lève solennellement pour porter un toast.

— Merci à tous d'avoir répondu à mon invitation. Rassurez-vous, je ne ferai pas de discours. Je propose simplement que nous buvions à notre indéfectible amitié !

Vous vous levez à votre tour et tendez votre flûte en direction du docteur. Ce dernier avale alors une gorgée du précieux breuvage. Mais, au lieu d'exprimer le plaisir, son visage se crispe soudainement, comme si un sabre venait de lui transpercer le cœur. Un horrible rictus déforme sa bouche, un râle sort des profondeurs de sa gorge, puis tout son corps s'abandonne d'un seul coup. Le docteur s'effondre sur sa chaise, et sa tête bascule en avant, le nez dans son assiette.

Vous restez tous pétrifiés et parfaitement incrédules.

Que s'est-il passé ?

Pour le savoir, rends-toi vite au 3 !

Tu te précipites auprès du docteur et palpes son pouls fébrilement.

Rien.

Tu promènes un doigt sous ses narines.

Aucun souffle ne s'en échappe.

— Il est mort ! déclares-tu.

La nouvelle est brutale, et plus d'un convive a du mal à y croire.

— C'est impossible ! s'écrie Madame Leblanc. Il y a sûrement quelque chose à faire… Appelons un médecin !

— Hélas, les médecins ne ressuscitent pas les morts ! réponds-tu.

— Je ne savais pas que vous étiez médecin légiste, rétorque Monsieur Violet en te lançant un regard sarcastique. Comme quoi la politique mène à tout…

Tu fais comme si tu n'avais pas entendu cette réplique.

— Je suis proche du docteur depuis de nombreuses années, enchaînes-tu. Il ne me cachait rien. Je peux affirmer qu'il était en pleine forme et prenait grand soin de sa santé, multipliant les examens et anticipant le moindre pépin. Il avait une hygiène de vie exemplaire et personne ne me fera croire qu'il était cardiaque !

Les invités du docteur boivent tes paroles. Il faut reconnaître que tu es très convaincante.

— Le docteur a été victime d'un empoisonnement, en déduis-tu.

— De quel genre de poison voulez-vous parler ? demande Monsieur Violet.

— Comme une intoxication alimentaire ? rebondit Mademoiselle Rose.

— Non. Une intoxication alimentaire n'est jamais aussi foudroyante ! fait observer Monsieur Moutarde. Si elle doit s'avérer mortelle, ce qui est assez rare, elle opère progressivement.

— Alors, quoi ? interroge Madame Leblanc.

Vos regards se croisent et, tout comme toi, elle pense au pire.

Tu réfléchis intensément quelques instants, puis l'évidence finit par s'imposer à toi. Tu reprends la parole :

— Il s'agit d'un empoisonnement volontaire ! Quelqu'un a administré au docteur un produit aux effets aussi rapides qu'irréversibles. Ça s'appelle un « meurtre ». Et le coupable se trouve forcément autour de cette table !

 Va au 4.

Personne ne contredit ta thèse ni même ne tente de le faire.

— Appelons la police ! suggère Monsieur Moutarde.

— Oui, qu'est-ce qu'on attend ? renchérit Madame Leblanc.

Ça ne te paraît pas être une bonne idée.

— Non, dis-tu. Que va faire la police, si ce n'est nous interroger toute la nuit ? Nous serons à leurs yeux six suspects qu'ils cuisineront sans merci jusqu'à tenir le coupable. Nous connaissons le docteur mieux que quiconque, nous découvrirons nous-mêmes qui l'a tué ! Et nous appellerons la police une fois que nous serons sûrs de l'avoir démasqué !

Monsieur Violet n'a pas l'air convaincu.

— Médecin légiste *et* détective ? raille-t-il. Vous nous surprendrez toujours, Madame Pervenche !

— La question est de savoir qui a envie de passer les prochaines heures en garde à vue ?

Cette perspective n'a pas l'air de soulever l'enthousiasme.

— Madame Leblanc, poursuis-tu, vous qui êtes avocate, est-ce que ce que je dis est absurde ?

Elle secoue la tête.

— Non. Mais comment nous y prendre ?

— Je suis celle qui connaissais le mieux le docteur, réponds-tu. Je propose de prendre les rênes de l'enquête. Si les quatre innocents parmi vous coopèrent, je suis certaine que le coupable sera démasqué en un rien de temps. Le crime parfait n'existe pas !

Tu scrutes un à un les visages autour de toi. Aucun regard ne semble formuler la moindre objection.

— Très bien. À présent, laissons le docteur en paix et retournons au salon !

Tout le monde te suit sans un mot.

Te voilà face à un choix crucial.

 Si tu décides de mener seule cette enquête, va au 12.

Si tu préfères prendre un coéquipier, va au 81.

Ton enquête démarre bien mal. Monsieur Violet te raconte n'importe quoi. Tu vas devoir changer ton fusil d'épaule.

— Merci beaucoup pour votre aide, lui murmures-tu.

Tu te lèves et te diriges vers Monsieur Moutarde, l'homme le plus costaud du groupe.

— J'ai besoin de prendre un peu l'air, lui dis-tu. Vous voulez bien garder un œil sur la troupe, que notre coupable n'en profite pas pour s'envoler ?

Il acquiesce avec un sourire.

 Va au 48.

Tu ne te souviens pas avoir jamais mis les pieds dans la chambre du docteur. Vous aviez beau être très liés, chacun avait son jardin secret, et le docteur était un homme pudique.

Tu découvres une chambre aménagée avec goût, de belles peintures murales aux tons chauds, un parquet et des meubles qui sentent bon les maisons de campagne d'antan.

Mais tu n'es pas là pour un inventaire des lieux. Tu te mets aussitôt en quête de… En quête de quoi ? Tu aimerais bien le savoir car tu pars de rien. Tu laisses ton instinct te guider.

L'armoire de la chambre te tend les bras. Tu l'ouvres. Hélas, elle ne contient que des vêtements et du linge de maison. Une fouille rapide de la commode ne t'apprend rien de plus. De l'autre côté de la pièce se trouve une table avec quelques objets posés dessus, dont un ordinateur portable et des livres. Là encore, rien ne retient ton attention. Restent les deux tables de chevet. Une lampe est posée sur la première. Le tiroir renferme quelques boîtes de médicaments : pastilles pour la gorge, somnifère, paracétamol… Rien d'extraordinaire.

Sur l'autre table se trouve un document d'une centaine de pages reliées avec une spirale en plastique. Sur la couverture, tu peux lire, en gros caractères : *Madame de toutes les couleurs.* Dessous, il est écrit en plus petit : « Un film de Monsieur Vermillon, avec Mademoiselle Rose dans le rôle-titre ».

« Tiens ! te dis-tu. Un scénario de film avec Mademoiselle Rose... Qu'est-ce que ça fait là ? »

Tu l'ouvres, et une feuille pliée en quatre tombe par terre. Tu la ramasses pour la lire. Il s'agit d'une lettre de Mademoiselle Rose...

 Va au 31.

— Je ne pense pas que ce soit une bonne idée, réponds-tu. Ne nous dispersons pas !

Monsieur Olive encaisse ton refus, visiblement vexé.

— Notez bien que je n'ai aucune raison particulière de vous soupçonner plus qu'un autre, te justifies-tu.

— Madame Pervenche n'a pas tort, ajoute Madame Leblanc. Elle a certainement une bonne raison d'avoir confié à Mademoiselle Rose cette mission…

— N'en parlons plus ! coupe Monsieur Olive.

Vous changez de sujet et, quelques minutes plus tard, Mademoiselle Rose vous rejoint dans le salon, brandissant une feuille de papier et arborant un air triomphal.

— J'ai trouvé quelque chose de très intéressant dans l'ordinateur du docteur, s'exclame-t-elle. Un e-mail provenant de Monsieur Violet. Je l'ai imprimé.

Elle se met à lire :

— *En tant qu'éminent pharmacologue, sauriez-vous me dire quelle quantité de ce produit serait nécessaire et suffisante pour foudroyer un homme de constitution moyenne ?* Je vous passe les descriptions techniques du poison révolutionnaire que notre ami Monsieur Violet s'amuse à mettre au point, continue Mademoiselle Rose.

Tous les regards se tournent vers l'intéressé, qui reste muet.

— Alors, quelle explication lumineuse allez-vous nous donner ? demande Mademoiselle Rose sur un ton accusateur.

Même si tu ne minimises pas la découverte de ta coéquipière, tu trouves qu'elle y va un peu fort. Surtout, tu lui reproches de ne pas t'avoir fait un rapport de sa fouille en privé. Elle est en train de s'approprier ton enquête, et ça te déplaît fortement.

Monsieur Violet paraît très déstabilisé.

— Les choses sont très simples, bafouille-t-il. Je travaille sur cette molécule depuis un moment, et j'ai eu besoin des lumières du docteur sur un point précis. N'allez pas imaginer quoi que ce soit de plus !

— Nous n'imaginons rien, contre énergiquement Mademoiselle Rose, nous constatons !

 Va au 85.

De retour au salon, tu te fonds dans le groupe. Madame Leblanc discute avec Monsieur Violet tandis que Mademoiselle Rose feuillette un magazine sur un canapé. Monsieur Olive, quant à lui, s'affaire sur son téléphone portable, assis dans un fauteuil. Tu t'approches de lui.

— J'aimerais connaître votre opinion sur un détail, lui dis-tu.

Il se lève aussitôt.

— À quel sujet ?

— Il paraît que le docteur venait d'investir une forte somme d'argent dans une société américaine. Vous qui êtes dans la finance, j'ai pensé que vous étiez peut-être au courant ?

Il te regarde, l'air surpris.

— Absolument pas ! Comment s'appelle la société en question ?

— La... BTA ? BSA ? Quelque chose comme ça... Une banque de crédit, je crois.

— Ça ne me dit rien du tout...

Monsieur Moutarde apparaît alors derrière Monsieur Olive. Il était temps car ton improvisation tourne court.

En un geste éclair, il balaie avec sa jambe droite les pieds de ton interlocuteur qui, déséquilibré, tombe sur le côté. Monsieur Moutarde se jette alors sur lui. Il lui joint les poignets dans le dos et l'immobilise en faisant pression sur ses reins avec l'un de ses genoux.

Tu te précipites et glisses tes mains dans ses poches. Tu trouves très vite ce que tu cherches : le collyre et le revolver.

— Tiens, tiens ! lui dis-tu. L'arme ayant tué le docteur Lenoir et celle qui aurait pu couvrir votre fuite en cas de danger. On dirait que vous êtes fait, Monsieur Olive !

Tout le groupe est agglutiné autour de vous. Mademoiselle Rose lance à Monsieur Olive un regard méprisant.

— Vous n'avez pas fait ça ? lui demande-t-il.

— Peu importe ce qu'elle a fait, interviens-tu. Ce qui compte pour l'instant, c'est ce que *vous* avez fait.

— C'est elle qui est responsable de tout ! hurle-t-il. Mademoiselle Rose a tout prémédité de A à Z !

— C'est ça, et moi, j'ai tué le président Kennedy ! Maintenant, ça suffit ! conclus-tu. Appelons la police !

Alors que tu joins le geste à la parole, Monsieur Olive continue de clamer son innocence en chargeant Mademoiselle Rose.

Hélas, ton enquête est un fiasco ! Si tu as mis au jour l'arme du crime, tu n'as découvert ni le mobile ni l'identité exacte du meurtrier.

Dans une affaire criminelle,
il ne faut jamais prendre pour argent comptant
les prétendues révélations des suspects.
Mieux vaut recouper ses informations
avant de porter des accusations.
Ne l'oublie pas et recommence !

Le docteur a toujours le nez dans son assiette. Vous l'observez en silence. La peau de son visage et de ses mains est devenue violacée.

— Que signifie ce changement de teint ? demandes-tu. Le poison a-t-il agi directement sur le système respiratoire ? Sur le cœur ? A-t-il provoqué un blocage des fonctions vitales au niveau du cerveau ?

— Taisez-vous, je réfléchis.

Monsieur Violet s'approche lentement du corps et procède à quelques tests : il soupèse un avant-bras, vérifie la souplesse de l'articulation du coude. Puis il palpe les joues du docteur, comme pour mesurer l'élasticité de l'épiderme. Ensuite, il soulève les paupières et examine l'aspect de la pupille ainsi que la densité du blanc de l'œil.

— Alors ? interroges-tu.

— Chut ! se contente-t-il de répondre, absorbé pas son examen.

Il entrouvre la bouche du docteur et promène un doigt sur ses gencives.

— Absence de salive, commente-t-il à voix basse.

— Qu'est-ce que ça signifie ? demandes-tu.

Il ne te répond pas. Au lieu de cela, il écarte un peu plus les mâchoires, approche son nez et inspire profondément. Puis il referme délicatement les lèvres du docteur.

Monsieur Violet reste un long moment debout, concentré sur son sujet. Il ne quitte pas le docteur des yeux. Il sort ensuite un carnet de sa poche et consulte fébrilement quelques notes griffonnées.

— Alors ? t'impatientes-tu.

Il range son carnet avant d'arracher un cheveu du docteur. Il en observe attentivement la racine.

Enfin, il se tourne vers toi :

— Zylcodium !

 Fonce au 41.

Tu fonces dans le vestibule où se trouvent les effets personnels laissés par les convives à leur arrivée chez le docteur. Aucune trace de chocolat.

Tu retournes dans la salle à manger, et le constat est le même. Tu ne t'y attardes pas car la présence du cadavre t'est insupportable.

Tu décides d'aller voir dans la cuisine. Antoine est assis sur une chaise, l'air absent.

— Auriez-vous vu des chocolats, ce soir ? demandes-tu au majordome.

— Des chocolats ?

— Oui, des chocolats.

Ça n'évoque rien pour lui.

Tu inspectes brièvement le plan de travail. Les appétissantes victuailles préparées à votre attention par Antoine attendent un signal qui ne viendra pas. Parmi elles, tu ne vois rien qui ressemble de près ou de loin à des chocolats.

Tu t'apprêtes à ressortir de la cuisine quand, par acquit de conscience, tu demandes :

— Où se trouve la poubelle ?

Antoine te désigne du menton une porte de placard sous l'évier. Tu l'ouvres.

Tranchant avec les détritus habituels, une petite boîte en carton dépasse.

Avec dégoût, tu l'extrais de la poubelle et l'ouvres : elle contient une dizaine de boules marron, d'aspect irrégulier.

— Qu'est-ce que c'est ? demandes-tu.

Antoine hausse les épaules sans même se donner la peine de regarder.

« Si ce ne sont pas des truffes en chocolat, penses-tu, l'imitation est parfaite ! » Tu en prends une entre tes doigts et la renifles. Tu ouvres la bouche…

 Va vite au 82.

Monsieur Violet est votre coupable idéal. Vous allez faire votre possible pour le pousser dans ses retranchements en prêchant le faux.

Vous vous approchez de lui et de Madame Leblanc, et interrompez leur conversation.

— Monsieur Violet, lances-tu, il faut que je vous parle de quelque chose qui vient de me revenir.

Il fait une courbette en signe de soumission.

— Je suis à votre disposition, inspectrice.

— Je me suis entretenue au téléphone avec le docteur, il y a quelques jours à peine, et il m'a fait une confidence troublante.

— Vraiment ?

— Il m'a parlé d'un différend entre vous…

Ton interlocuteur fronce les sourcils.

— Un différend ? Quel genre de différend ?

— Il n'est pas entré dans les détails, mais cela paraissait très sérieux.

— Je n'ai jamais eu le moindre différend avec le docteur Lenoir, Madame Pervenche. Il doit s'agir d'un malentendu.

Votre conversation intéresse soudain tous les convives, qui vous prêtent une oreille particulièrement attentive.

— Absolument pas, renchérit Mademoiselle Rose, il a même mentionné que votre amitié était en jeu.

— De toute évidence, elle ne l'est pas puisque le docteur m'a invité ce soir, comme chaque fois qu'il réunissait ses amis les plus chers.

— Cela ne prouve rien, réplique Mademoiselle Rose. C'était peut-être une main tendue de sa part pour que vous vous rabibochiez.

— Que nous nous rabibochions ? Quelle drôle d'expression ! ricane Monsieur Violet. À vrai dire, Mesdames, je ne comprends pas bien le sens de cette conversation. Où voulez-vous en venir ?

Tu le fixes du regard pendant de longues secondes avant de répondre :

— Quel était l'objet de votre discorde, Monsieur Violet ?

Il soupire.

— Je suis vraiment désolé, vous avez l'air d'y tenir, mais il n'y a jamais eu l'ombre d'une discorde entre le docteur et moi. Maintenant, fichez-moi la paix !

— Il était question d'argent, n'est-ce pas ? intervient ta coéquipière. Vous n'osez pas l'avouer parce que vous craignez que nous fassions le lien avec ce qui s'est passé ce soir !

— Vous êtes aussi folles l'une que l'autre !

— Ce n'est pas en bottant en touche que vous prouverez votre innocence, dis-tu.

— Prouver mon innocence ? Elle est bien bonne, celle-là ! lance-t-il en éclatant de rire avant de vous tourner le dos.

Mademoiselle Rose et toi avez échoué. Vous battez en retraite.

 Va au 50.

Tu ne fais confiance à personne. Chaque individu dans ce salon est un coupable potentiel. Tu ne regardes plus Madame Leblanc, l'avocate, Mademoiselle Rose, la comédienne, Monsieur Olive, l'homme d'affaires, Monsieur Moutarde, le champion d'arts martiaux, ou encore Monsieur Violet, le scientifique, comme tu en avais l'habitude encore un quart d'heure plus tôt. Tu te méfies de tous. Toi qui baignes dans la politique, tu le sais mieux que quiconque : les pires coups bas proviennent généralement de son propre camp.

Tu vas donc enquêter seule !

Après une brève réflexion, tu décides de commencer par interroger les suspects.

Si tu choisis de mener un interrogatoire de groupe, va au 29.

Si tu préfères interroger les convives individuellement, va au 17.

En te voyant entrer avec la boîte de chocolats et le scénario, Mademoiselle Rose change soudain d'expression.

— Que dites-vous de mes découvertes ? lui lances-tu.

— De quoi parlez-vous ? répond-elle avec aplomb.

— Commençons par le scénario, si vous voulez bien. Pouvez-vous nous donner quelques explications ?

— C'est mon ami Monsieur Vermillon qui l'a écrit. C'est un très beau rôle pour moi. Je l'ai montré au docteur car il m'a dit qu'il souhaitait investir dans des productions cinématographiques.

— Peut-être, mais il a refusé d'investir dans celle-ci, fais-tu observer. Comment avez-vous réagi ?

— Comment le savez-vous ?

— Madame Leblanc me l'a dit.

Mademoiselle Rose se tourne vers l'intéressée, qui soutient son regard sans nier et finit par s'expliquer :

— Le docteur m'a téléphoné pour avoir mon avis. Comme je n'avais pas encore lu ce scénario, je n'en avais pas encore. Mais il m'a affirmé qu'il venait de vous donner une réponse négative. Il ne croyait pas au projet.

— En effet, confirme Mademoiselle Rose. Il n'a pas donné suite.

— Vous avez dû être terriblement déçue, reprends-tu.

— Le cinéma est fait de déceptions et de joies intenses. J'ai eu mon lot des unes comme des autres. Si je devais m'arrêter à un refus…

— Vous n'avez pas songé à vous venger ?

— Que voulez-vous dire ? demande Mademoiselle Rose le plus innocemment du monde.

Elle est comédienne, et une comédienne sait mentir sur commande. Tu ne tombes pas dans le panneau et préfères changer de sujet.

— Passons à cette boîte de chocolats ! Pourquoi l'avoir jetée en arrivant ?

Mademoiselle Rose baisse les yeux en minaudant.

— C'est stupide, mais j'ai eu honte de les offrir au docteur au dernier moment.

— Pourquoi ça ? Ils ont l'air délicieux !

— Ce sont de modestes truffes que je fais moi-même à mes heures perdues. Rien d'extraordinaire. J'ai regretté de les avoir apportées et je les ai donc jetées.

Tu es perplexe. Tu as le sentiment d'être sur la bonne piste, mais Mademoiselle Rose est coriace. Si elle est coupable, elle se défend très bien. À ton avis, il y a quelque chose qui cloche dans cette histoire de chocolats. Pourquoi ne pas avoir laissé la boîte dans sa voiture ?

Ton regard se perd dans la pièce… Tu découvres alors, à l'angle du mur et du plafond, juste au-dessus de la porte qui ouvre sur le couloir, l'œil d'une minicaméra. Et ça te donne une sacrée idée…

 Va vite au 36.

Il te faut remonter quatre jours en arrière pour tomber sur un e-mail susceptible d'avoir un rapport avec ce qui s'est produit ce soir. Il a été expédié par Monsieur Violet !

Sa lecture te laisse perplexe. Tu comprends néanmoins deux choses.

La première est que Monsieur Violet est en train de mettre au point un poison novateur, dont la propriété essentielle sera de ne laisser aucune trace dans l'organisme de la victime.

La seconde est qu'il a besoin des lumières du docteur Lenoir :

En tant qu'éminent pharmacologue, sauriez-vous me dire quelle quantité de ce produit serait nécessaire et suffisante pour foudroyer un homme de constitution moyenne ?

Le reste n'est que symboles chimiques et formules mathématiques à rallonge auxquelles tu ne comprends rien, bien sûr.

En tout cas, cet e-mail donne à réfléchir. Si Monsieur Violet n'est pas coupable, il vaut mieux pour lui qu'il ait une explication sans faille, car la coïncidence est troublante. N'importe qui ferait le lien et penserait qu'il a fait un test grandeur nature, ce soir, sur la personne du docteur.

Tu estimes que ce document est suffisant pour aller l'affronter et lui demander des comptes.

 Si tu décides de le faire publiquement, va au 87.

Si tu préfères t'isoler avec lui, va au 91.

Tu t'en veux d'avoir laissé les choses t'échapper. Mais il est sans doute déjà trop tard pour reprendre les rênes de l'enquête. Un peu à contre-cœur, tu ne t'opposes pas à la proposition de Mademoiselle Rose.

— Très bien ! conclut Madame Leblanc en se levant. Rentrons !

— Je vous raccompagne ? te demande Monsieur Moutarde.

Tu acceptes, mais non sans amertume, car tu aurais voulu être la dernière à veiller le docteur avant que l'ambulance n'emporte son corps.

Quelques minutes plus tard, vous roulez dans la nuit noire à bord de la BMW de Monsieur Moutarde. Aucun de vous n'ose parler. Tu devrais être soulagée, pourtant tu ne l'es pas. Tu voudrais pouvoir recommencer ton enquête depuis le début. Tu n'aurais pas dû passer la main comme tu l'as fait. La suite des événements te le prouvera : les choses ne se passeront pas du tout comme Mademoiselle Rose et Monsieur Olive vous les ont présentées. Lorsque la police arrivera chez le docteur, le lendemain matin seulement, elle n'y trouvera que Monsieur Violet et Antoine ligotés à une chaise.

Mademoiselle Rose et Monsieur Olive auront quitté les lieux sans même appeler les secours.

FIN

**Tu as manqué de fermeté et d'autorité.
Ton enquête est un véritable fiasco.
Tu peux te racheter en recommençant
et en faisant, cette fois, les bons choix.**

16

On dirait que Mademoiselle Rose a compris la manœuvre de Madame Leblanc. Elle vous observe bizarrement, et l'assurance qu'elle affichait tout à l'heure a quelque peu disparu.

— Pourquoi ne nous avez-vous pas dit la vérité ? lui demandes-tu.

— À quel propos ?

— À propos du docteur et de sa réponse à votre sollicitation. Pourquoi avoir prétendu qu'il ne vous l'avait pas donnée ?

— Parce que c'est le cas ! affirme-t-elle.

— Vous mentez ! intervient Madame Leblanc sèchement. Il m'a téléphoné juste après vous avoir formulé son refus.

Mademoiselle Rose lui lance alors un regard noir et se tourne ensuite vers Monsieur Olive qui paraît tout aussi paniqué qu'elle. Ils se fixent un long moment, comme s'ils communiquaient par télépathie, puis Monsieur Olive se lève furieusement et bondit sur Monsieur Violet. De la poche de sa veste il extrait un revolver et le braque contre la tempe du mathématicien.

— Écartez-vous et laissez-nous partir, sinon je l'abats !

Vous êtes tous abasourdis. Ton incompréhension est totale. Madame Leblanc et toi venez de porter un coup dur à Mademoiselle Rose, et c'est Monsieur Olive qui sort une arme et vous menace.

Les explications viendront en leur temps. Pour l'instant, tu dois prendre une décision, qui peut être lourde de conséquences.

Si tu penses que Monsieur Olive bluffe et si tu as bien l'intention de ne pas le laisser filer avec un otage, va au 56.

Si tu préfères ne pas prendre de risques, va au 23.

T u ne crois pas trop à l'interrogatoire de groupe, qui risque de
paralyser les langues. Les suspects se livreront
plus facilement dans les conditions d'un tête-
à-tête.

Cuisiner les cinq invités du docteur serait
long et fastidieux. Tu décides donc de limiter
le nombre des interrogatoires. Quelles sont
les personnes ici présentes les plus suspectes
à tes yeux ? Tu réfléchis... Mademoiselle Rose
incarne pour toi la gentillesse et la candeur. Tu
l'élimines d'office. Monsieur Moutarde ? Mal-
gré son goût pour les arts martiaux, il ne ferait
pas de mal à une mouche. Quant à Monsieur
Olive, tu le connais moins bien, mais son côté
bon vivant te paraît incompatible avec le fait
de tuer quelqu'un. Il reste Madame Leblanc
et Monsieur Violet. Tu ne les as jamais por-
tés dans ton cœur. Tu vas te focaliser sur ces
deux-là.

Par lequel vas-tu commencer ?

Si tu optes pour Madame Leblanc, va au
24.

Si tu préfères commencer par Monsieur
Violet, va au 60.

Vous êtes tous tournés vers Mademoiselle Rose qui refuse de croiser vos regards en baissant la tête.

— Vous nous avez menti ! lui assènes-tu. Le docteur a mangé un de ces chocolats avant que vous ne jetiez la boîte !

Pas de réponse.

— Ces chocolats sont empoisonnés, n'est-ce pas ? C'est pour cela que vous vous êtes empressée de les faire disparaître.

Mademoiselle Rose garde le silence.

— Allons, Mademoiselle Rose ! Il est temps de dire la vérité.

Elle éclate alors en sanglots.

— Oui, concède-t-elle, c'est moi qui ai tué le docteur. Je n'ai pas supporté qu'il refuse de m'aider. Il était ma dernière chance pour que le film se fasse. Ce rôle était tellement important pour moi ! J'étais folle de rage et je me suis juré de me venger.

Elle se tourne vers Monsieur Olive.

— Je suis désolée de vous avoir entraîné dans cette histoire… Mais vous auriez dû essayer de me dissuader au lieu de m'aider à préparer ces maudites truffes !

Monsieur Olive sort alors un revolver de sa poche. Il le braque sur vous tous, l'air désespéré.

— Allons-y, Mademoiselle Rose ! Il est encore temps de fuir.

— Ne faites pas de bêtise, Monsieur Olive, répliques-tu. Il y a déjà eu un mort ce soir. N'aggravez pas votre cas !

Il se tourne vers Mademoiselle Rose, comme si la décision lui revenait.

— Madame Pervenche a raison, finit-elle par dire. Rangez cette arme, il y a suffisamment de dégâts comme ça !

Tel un petit garçon, Monsieur Olive obéit.

— Je pense que nous pouvons appeler la police à présent, suggères-tu. Qu'en dites-vous, Mademoiselle Rose ?

Elle hoche la tête en signe d'approbation.

En sortant ton portable, tu te félicites intérieurement d'avoir découvert l'arme du crime et son mobile, et d'avoir démasqué les coupables. Cela ressemble fort à un sans-faute. Tu as gagné. Bravo !

Sais-tu qu'il existe d'autres moyens d'arriver aux mêmes conclusions ? Essaie de les trouver !

— Le poison parfait ! t'explique Monsieur Violet. Il ne laissera absolument aucune trace dans l'organisme. Un peu comme dans *Mission impossible*, la molécule toxique s'autodétruira après avoir fait son travail ! Qu'est-ce que vous dites de ça, Madame Pervenche ? Les services secrets du monde entier vont se l'arracher, et je serai bientôt milliardaire !

Est-il en train de se payer ta tête ? Ça t'en a tout l'air.

— En quoi ce poison pouvait-il intéresser le docteur ? demandes-tu.

Monsieur Violet te dévisage comme si tu étais stupide.

— Voyons, Madame Pervenche, le docteur était un pharmacologue émérite ! Je l'ai consulté pour qu'il m'aide dans le dosage des différents composants…

— Il l'a fait ?

— Hélas, il n'en a pas eu le temps.

Tu ne sais plus bien quoi penser.

 Si tu décides de mettre à profit les connaissances de Monsieur Violet en matière de poisons, va au 37.

Si, plus que jamais, tu te méfies de lui, va au 5.

Mais Madame Leblanc sait se contenir. Elle se contente de te fusiller du regard. Les autres convives écoutent votre conversation avec attention.

— À mon avis, intervient Monsieur Violet, Madame Pervenche et Mademoiselle Rose lisent trop de magazines people !

— On ne vous a rien demandé ! le rabroues-tu.

Puis c'est au tour de Monsieur Moutarde de prendre la parole :

— Nous n'irons nulle part de cette façon. Nous devrions laisser les professionnels s'occuper de cette enquête. Votre idée était bonne et généreuse, Madame Pervenche, mais de toute évidence, nous sommes dans une impasse.

— Monsieur Moutarde a très bien parlé, renchérit Madame Leblanc. Appelons la police !

Monsieur Olive, qui est resté discret jusquelà, ne semble pas du tout d'accord avec cette proposition.

— Il n'en est pas question ! s'exclame-t-il en sortant un revolver de sa poche.

 Va au 33.

Tu viens à peine de refermer la porte du salon quand tu entends qu'on t'appelle :

— Madame Pervenche !

Madame Leblanc vient te retrouver dans le couloir.

— J'ai quelque chose à vous dire qui peut avoir son importance.

— Quoi donc ? demandes-tu.

— C'est au sujet de Mademoiselle Rose. Il se trouve qu'elle m'a également envoyé un exemplaire de ce scénario.

— Ah bon ?

— Oui, je pense qu'elle est assez désespérée et qu'elle a sollicité toutes ses connaissances qui avaient un peu d'argent.

— Je vois.

— Mais il y a autre chose. Le docteur m'a appelée il y a quelques jours, et nous avons parlé ensemble de ce projet. Il trouvait ça très mauvais et n'avait aucune intention d'investir dedans.

— Pauvre Mademoiselle Rose ! t'exclames-tu. Finalement, il vaut mieux pour elle qu'elle n'en ait rien su.

— Le problème, c'est qu'il lui a donné sa réponse.

— Mais elle vient de nous dire le contraire !
Madame Leblanc soupire.

— Elle nous a menti.

— Pourquoi aurait-elle fait ça ?

— C'est toute la question.

— Vous êtes certaine que le docteur lui a signifié son refus ?

— Il me l'a dit très clairement. Il venait de l'avoir au téléphone.

— Comment a-t-elle pris sa décision ?

— D'après lui, elle s'y attendait. Elle n'a pas plus réagi que ça.

— Très bien, conclus-tu. Allons lui demander des explications !

Vous retournez au salon.

 Va au 16.

22

Cette séance de remue-méninges ne donne rien.

— Si certains n'osent pas parler par peur de représailles, crois-tu utile de préciser, qu'ils soient rassurés : le coupable sortira de cette maison menottes aux poignets !

Mais cette remarque ne change pas la donne. En apparence, personne n'a rien vu !

— En y réfléchissant bien, finit par lancer Mademoiselle Rose, j'ai trouvé le docteur un peu pâle, ce soir.

— Exact ! renchérit Monsieur Olive. Et un peu triste aussi. En tout cas, moins enjoué que d'habitude.

— Pas du tout ! intervient Madame Leblanc. Moi, je l'ai trouvé très bien.

— Et vous, Monsieur Moutarde, demandes-tu. Qu'en pensez-vous ?

— Je ne sais pas, répond-il. À vrai dire, je n'ai pas vraiment fait attention.

— Notre perception des choses est faussée maintenant qu'on sait que le docteur est mort, objecte Monsieur Violet. Toutes ces remarques n'ont pas de sens.

On ne peut pas dire que ton enquête démarre sur les chapeaux de roue. Tu soupçonnes chacun de se méfier de son voisin. Dans ce genre de situation, te dis-tu, moins on en dit, mieux on se porte.

Il te faut changer ton fusil d'épaule et enchaîner avec du concret.

 Pour cela, va au 49.

23

Sans te mettre en danger, tu cherches à en savoir plus sur les raisons de ce coup de théâtre.

— Que faites-vous, Monsieur Olive ?

Il ne te répond pas.

Mademoiselle Rose s'est levée et s'approche de lui.

— Mademoiselle Rose ! lances-tu. Dites-moi que vous n'avez rien à voir avec cette histoire !

— Nous n'avons plus rien à nous dire, lâche-t-elle pour toute réponse.

Madame Leblanc te vient en aide en prenant le relais.

— Vous avez manigancé tout cela ensemble, n'est-ce pas ?

Silence.

Monsieur Moutarde fait alors un pas vers eux en gonflant le torse.

— Vous, Monsieur Muscles, ne bougez pas ! lui intime Monsieur Olive en poussant son otage vers la porte.

— Faites ce qu'il dit, bon sang ! renchérit Monsieur Violet, toujours sous la menace du revolver. Je n'ai envie de servir de bouclier à personne !

L'affaire semble compromise. Monsieur Olive a l'air déterminé à faire usage de son arme si vous cherchez à entraver sa fuite.

En tant qu'initiatrice de cette enquête, tu dois te prononcer.

— Laissons-les partir ! lances-tu. Il y a eu suffisamment de dégâts ce soir.

Mademoiselle Rose ouvre la porte du salon et disparaît la première. Monsieur Olive la suit avec Monsieur Violet.

La porte se referme et vous les entendez cavaler.

— Appelez vite la police ! ordonne Madame Leblanc. Il doit y avoir un moyen de les intercepter.

—Non ! réponds-tu. Monsieur Olive était prêt à nous tirer dessus ; vous imaginez le carnage si une voiture de police les prend en chasse ? La vie de Monsieur Violet est en jeu. Je vais appeler les secours, bien sûr, mais nous attendrons qu'ils soient là pour leur raconter toute l'histoire.

La fuite d'un coupable est toujours un constat amer pour un enquêteur. Lorsqu'il se double d'une prise d'otage, c'est l'échec absolu. Évite à tout prix que cela se reproduise !

24

Tu fais signe à Madame Leblanc de te suivre dans le couloir. De là, tu pourras t'assurer que personne ne quitte le salon, tout en bavardant avec elle sans risquer d'être entendue.

Curieusement, elle ne te pose pas de question sur le pourquoi de cet aparté. Au contraire, elle t'emboîte le pas énergiquement et anticipe ton interrogatoire. De toute évidence, elle a des choses à te révéler…

— Savez-vous que Mademoiselle Rose a envoyé son scénario au docteur pour solliciter son aide financière ? murmure-t-elle avec des airs de conspiratrice.

— Pardon ? De quoi parlez-vous ? Quel scénario ?

— Vous n'êtes pas au courant ? Un réalisateur de films a écrit un scénario dont le premier rôle féminin serait confié à Mademoiselle Rose. Malheureusement, il a du mal à trouver des financements. Mais elle tient tellement à ce rôle qu'elle démarche de son côté des personnes fortunées susceptibles d'investir dans ce projet.

Tu commences à comprendre, mais tu ne vois pas le rapport avec le meurtre de ce soir.

— Et alors ? demandes-tu.

— Et alors, elle nous a envoyé son scénario, au docteur et à moi-même.

— Je ne vois toujours pas où vous voulez en venir, Madame Leblanc.

— Le docteur a refusé de mettre un centime dans ce film !

— Comment le savez-vous ?

— Il me l'a dit lui-même au téléphone, il y a quelques jours. Il voulait savoir ce que j'en pensais.

— Qu'avez-vous répondu ?

— Que je ne l'avais pas encore lu, ce qui est vrai. Mais ma réponse était beaucoup moins attendue que celle du docteur : nos fortunes ne sont pas comparables. À lui seul, il pouvait produire le film !

Tu réfléchis à ce nouvel élément. Mademoiselle Rose ! Tu as du mal à y croire.

— Vous en déduisez que Mademoiselle Rose aurait assassiné le docteur uniquement pour se venger ? demandes-tu, incrédule.

 Va au 61.

— **A**llons, Monsieur Violet, je ne vous savais pas si peureux ! renchéris-tu.

— Pourquoi insistez-vous autant, Madame Pervenche ?

— Parce que je suis persuadée que vous réussirez à identifier le poison qui a tué notre ami. Ça restera entre nous, je vous le promets. Et tant pis si vous échouez, au moins aurons-nous essayé.

Monsieur Violet se prend la tête à deux mains pour réfléchir.

— Si le docteur nous observe de là où il est, il sera fier de vous, ajoutes-tu. Faites ce que je vous demande non pas pour moi, mais pour lui, en souvenir de votre complicité dans le domaine de la science.

Il se tourne enfin vers toi.

— Je ne vous promets rien, mais c'est d'accord, allons-y !

Vous vous levez.

Tu te demandes si tu dois expliquer votre absence aux autres. Après une brève réflexion, tu décides de ne rien leur dire.

 Va au 9.

C'est une décision plus difficile à prendre que tu ne l'imaginais.

Manifestement, il y a une majorité d'opinions qui s'expriment en faveur de la culpabilité de Monsieur Violet. Si tu es logique avec toi-même et avec la mission que tu t'es fixée, tu dois en tirer les conclusions qui s'imposent.

— Monsieur Violet, finis-tu par déclarer, nous avons entendu ce que chacun avait à dire. Ma conviction s'en trouve renforcée. Je pense que vous avez assassiné le docteur.

— Si je n'avais pas perdu un ami cher ce soir, Madame Pervenche, te répond-il posément, je rirais à chaudes larmes. Hélas, la soirée est bien triste. Mais je suis d'accord avec vous sur un point : abrégeons-la ! Téléphonez à la police sans plus attendre et livrez-leur le résultat de vos brillantes cogitations ! Peut-être auront-ils le cœur à rire...

Pas très fière de toi, tu appelles les secours.

L'enquête officielle te réservera bien des surprises et t'apprendra notamment que tu t'es trompée sur toute la ligne.

Quiconque a lu un roman policier sait
ce qu'est une fausse piste.
Tâche de t'en souvenir et reprends tout
depuis le début !

27

Tu entres dans le salon, le scénario sous le bras. Tu te rassieds sur le siège que tu occupais précédemment et interpelles Mademoiselle Rose.

—J'ai trouvé ça près du lit du docteur !

Elle te regarde comme si elle ne comprenait pas ton étonnement.

— Et alors ?

— Comment expliquez-vous la présence de ce document dans sa chambre ?

— C'est très simple. Il s'agit d'un projet de film dont nous avons parlé un jour. Ça avait l'air de l'intéresser, donc je lui en ai adressé un exemplaire. Il n'y a rien de plus à dire…

« Mademoiselle Rose s'en tire bien », te dis-tu. En même temps, elle n'est pas comédienne pour rien. Mais après tout, il n'y a peut-être rien de plus à en dire, effectivement. Tu es tellement à l'affût d'indices que tu en inventerais presque.

— Pourquoi ? Qu'avez-vous imaginé ? te demande Mademoiselle Rose.

— Rien, réponds-tu. N'en parlons plus !

Tu sens alors ton portable vibrer dans la poche de ton gilet. C'est Monsieur Moutarde qui t'envoie un SMS : « Pendant votre absence, j'ai entendu Mademoiselle Rose murmurer à l'oreille de Monsieur Olive : "Pourvu qu'elle ne trouve pas les chocolats !" »

Tu cherches à croiser le regard de ton partenaire, mais il t'évite. Tu en déduis qu'il ne sait rien de plus. C'est peut-être aussi une mesure de précaution pour que votre association demeure secrète.

« Qu'est-ce que c'est encore que cette histoire de chocolats ? » t'interroges-tu. Ton enquête part vraiment dans tous les sens : un poison révolutionnaire, un scénario mystérieux, des chocolats compromettants… Et les suspects qui se multiplient : Monsieur Violet, Mademoiselle Rose, et à présent Monsieur Olive ?

— Je dois m'absenter encore quelques instants, t'excuses-tu en te relevant.

— Décidément, commente Monsieur Violet, notre Julie Lescaut ne tient pas en place !

 Va au 10.

Une dizaine de minutes s'écoulent sans qu'il se passe rien de particulier. Puis Monsieur Violet t'interpelle :

— Où est donc passée cette chère Mademoiselle Rose ? interroge-t-il. J'ai comme l'impression qu'elle vous joue un mauvais tour.

— Que voulez-vous dire ?

— Je veux dire qu'elle vous a embobinée.

— Ne croyez pas ça, elle est partie chercher dans la maison des preuves de votre culpabilité.

— La bonne blague ! Je mettrais ma main au feu qu'elle a quitté la propriété du docteur à l'instant où elle a franchi cette porte !

— Qu'est-ce qui vous fait imaginer une chose pareille ?

— Mon instinct, Madame Pervenche ! J'ai le sentiment qu'il est plus fiable que le vôtre. Allons vérifier ensemble, si vous le voulez bien !

Tu hésites un instant.

— Monsieur Moutarde, voulez-vous nous accompagner ?

Il ne s'y oppose pas.

 Va au 45.

Tu n'as pas choisi de commencer par le plus facile. Mais c'est une étape indispensable. Quelqu'un a peut-être remarqué quelque chose : un geste suspect, une parole équivoque, une attitude ambiguë… Le moindre détail, le plus petit indice peut te mettre sur la voie.

— Je vous remercie de votre confiance, te lances-tu. Si vous le voulez bien…

— Holà ! t'interrompt Monsieur Violet. Ce n'est pas parce que nous avons accepté cette histoire d'enquête que vous êtes blanchie à nos yeux. Vous demeurez aussi suspecte que quiconque dans cette pièce !

— Vous avez raison de le souligner, Monsieur Violet, réponds-tu pour couper court à son intervention. À présent, j'aimerais que nous mettions tout sur la table. Un criminel commet toujours des erreurs, si petites soient-elles. Nous devons nous creuser la cervelle et revivre le film de ce début de soirée. Remémorez-vous chaque moment ! Souvenez-vous de tout ce qui s'est dit autour de vous, du comportement de vos voisins, de vos interlocuteurs, du docteur… Il doit y avoir un élément qui trahit le coupable.

Les cinq autres invités du docteur baissent la tête et font mine de se concentrer. Toi-même, tu essaies de te souvenir de quelque chose susceptible de vous aider.

Les secondes défilent.

On ne se bouscule pas pour intervenir.

 Va au 22.

La chambre du docteur te paraît aussi stérile qu'une chambre d'hôpital. On mangerait à même le sol !

On a vite fait le tour d'un endroit pareil. Tu as déjà eu le temps de fureter dans la commode ainsi que dans l'armoire normande, et tu n'y as rien décelé de particulier. Tu inspectes rapidement une table sur laquelle sont posés un ordinateur portable ainsi que quelques livres et DVD.

Avant de sortir, tu scrutes le lit. Une brochure avec une reliure à spirale est posée sur l'une des tables de nuit. Tu t'en approches. Sur la couverture plastifiée est écrit : « *Madame de toutes les couleurs* – un film de Monsieur Vermillon, avec Mademoiselle Rose dans le rôle-titre ».

« Voilà qui est surprenant ! » te dis-tu.

Tu feuillettes rapidement ce qui, de toute évidence, est un scénario. Que fait-il dans la chambre du docteur ?

Tu t'empresses d'aller le demander à Mademoiselle Rose, qui doit bien avoir une idée sur la question.

 Va au 27.

*C*her Docteur,
Comme promis, je vous adresse un exemplaire du scénario dont je vous ai parlé au téléphone.

J'aimerais tant qu'il vous plaise ! Monsieur Vermillon, le talentueux auteur-réalisateur du film, a écrit spécialement pour moi ce rôle magnifique qui va relancer ma carrière.

Malheureusement, il éprouve quelques difficultés à trouver des partenaires financiers.

J'espère de tout mon cœur que vous accepterez d'investir dans ce beau projet.

Amicalement,

Mademoiselle Rose

Voilà qui est intéressant ! Tu ne reviendras pas bredouille de cette fouille dans la chambre du docteur. En même temps, il te paraît tellement improbable que Mademoiselle Rose soit impliquée, de près ou de loin, dans ce meurtre… Cela dit, rien ne t'empêche de l'interroger.

Si tu choisis de le faire publiquement, va au 44.

Si tu préfères le tête-à-tête, sans doute plus diplomate, va au 75.

En retournant au salon, tu passes devant la cuisine et aperçois Antoine, prostré sur une chaise. Le pauvre homme ! Tu entres pour échanger quelques mots avec lui.

Il te regarde sans réagir.

— C'est un grand malheur pour vous, je le devine, lui dis-tu. Je sais que vous étiez au service du docteur depuis des années et que vous n'avez pas de famille. Nous ferons tout pour vous aider à retrouver du travail.

— Merci, Madame.

— Au fait, Antoine, avez-vous une idée de ce qui a pu se passer ce soir ?

— Aucune, Madame.

— Vous n'avez rien remarqué de particulier dans l'attitude du docteur, ces derniers temps ?

Il secoue la tête.

— Rien dans le comportement des invités ce soir, non plus ?

— Non plus, Madame.

— Bon, je vous laisse, Antoine. Courage ! Nous allons démasquer le coupable, je vous le promets !

Tu sors de la cuisine et te diriges vers le salon. Avant d'y arriver, tu entends quelqu'un courir derrière toi. Tu te retournes : c'est Antoine qui te rattrape.

— Je ne sais pas si ça a une importance quelconque, te dit-il, mais Mademoiselle Rose est venue jeter quelque chose dans la poubelle de la cuisine en arrivant ce soir.

Tu ouvres des yeux étonnés.

— Vraiment ?

— Oui, Madame.

Si cette information te paraît anecdotique, va au 43.

Si, au contraire, tu la juges digne d'intérêt, va au 40.

33

Tu ne peux contenir un petit cri de frayeur.

Monsieur Olive brandit son arme dans votre direction.

— Qu'est-ce que vous faites ? lui demande Mademoiselle Rose.

— Je m'en vais ! répond-il. Je vous raccompagne ?

Mademoiselle Rose réfléchit un court instant. Vous attendez tous sa réponse.

— Non ! lâche-t-elle.

— Comme vous voudrez.

Monsieur Olive regagne la porte du salon en marchant à reculons, tout en vous menaçant de son arme. Personne ne tente rien pour l'empêcher de fuir.

Tu sens que le dénouement approche et tu te sens ridicule, car tu provoquais Madame Leblanc alors qu'elle est visiblement innocente. Tu t'es trompée. Et tu n'es pas au bout de tes surprises ! Mais il te faudra attendre les résultats de l'enquête officielle pour apprendre ce qu'il s'est réellement passé.

Prêcher le faux pour savoir le vrai
est une méthode délicate, réservée aux initiés.
En tout cas, tu t'en es servie bien trop tôt
dans ton enquête. Et si tu reprenais tout
depuis le début ?

34

Si tu acceptes cette proposition, vous serez trois à enquêter dorénavant, et les chances pour que le coupable se trouve dans ton équipe augmenteront. Mais Monsieur Olive te paraît sincère, et sa proposition pleine de bon sens. Et puis, comme ça, ils se surveilleront l'un l'autre.

— Entendu, réponds-tu. Allez la retrouver !

Il ne se fait pas prier pour quitter à son tour le salon.

Messieurs Moutarde et Violet sont toujours occupés à commenter l'actualité sportive.

Tu reprends ta conversation avec Madame Leblanc.

— De vous à moi, lui dis-tu, avez-vous la moindre idée de ce qu'il s'est passé ce soir ?

— Très franchement, non. Je ne vois vraiment pas qui pourrait en vouloir au docteur au point de commettre ce crime odieux. J'ose encore espérer que nous faisons tous fausse route et que le coupable n'est pas parmi nous. Quelque chose nous échappe peut-être, qui mettrait fin à ce climat de suspicion.

— Je vous trouve bien naïve, répliques-tu.

Elle te regarde comme si tu venais de prononcer des paroles déplacées.

— Naïve ? Vous voulez rire ? Qui est-ce qui vient d'autoriser deux personnes à aller fouiller la maison sans surveillance ? Et vous osez me parler de naïveté ?

— Voyons ! rétorques-tu. On donnerait à Mademoiselle Rose le Bon Dieu sans confession !

— Laissez-moi vous dire ceci : à moins d'être un psychopathe, on ne naît pas criminel. Ce sont les circonstances qui peuvent nous pousser à le devenir. Nous étions tous les six des amis du docteur. Aucun de nous n'a un casier judiciaire. Et pourtant, selon votre thèse, l'un de nous est passé à l'acte et a tué notre ami commun. Cela peut être moi, cela peut être vous, comme n'importe qui d'autre dans cette maison.

Les paroles de Madame Leblanc font leur chemin dans ton esprit et tu te rends compte qu'elle a entièrement raison. Tu n'aurais jamais dû laisser Mademoiselle Rose aller fureter dans la maison et disparaître de ton champ de vision. Idem pour Monsieur Olive, en qui tu as bien moins confiance. Tu repenses à ce SMS qu'il a reçu après la sortie de Mademoiselle Rose. Et si c'était elle qui lui avait demandé de le rejoindre ? Et s'il avait feint de recevoir un message pour te le faire croire ? Peut-être est-il allé tuer Mademoiselle Rose avant de prendre la fuite !

— Excusez-moi ! lâches-tu en te précipitant hors du salon.

 Va au 54.

35

Tout le monde est suspendu aux lèvres de Monsieur Violet.

— Eh bien, en temps normal, je n'aurais sans doute pas réussi à identifier ce liquide, mais le fait que nous soyons à la recherche d'un poison me met sur la voie. Et je peux affirmer qu'il y a dans ce flacon du zylcodium, dont l'odeur est très caractéristique.

— Qu'est-ce que c'est ? demandes-tu.

— Le zylcodium sert à la fabrication du zylcaviron, un poison foudroyant.

— Le zylcodium est également utilisé en pharmacie ! conteste vivement Monsieur Olive, alors que des cris horrifiés s'élèvent.

— C'est exact, reconnaît Monsieur Violet. Mais, à ma connaissance, dans d'autres domaines que l'ophtalmologie.

— Votre connaissance n'est pas infinie, raille Monsieur Olive. Ne vous surestimez pas, Monsieur-Je-Sais-Tout !

Il te faut reprendre la main.

— Avouez, Monsieur Olive, que la police sera très intriguée par ce flacon qui contient un produit que Monsieur Violet identifie comme un poison.

Il te sourit.

— J'ai ma conscience pour moi.

— Ce n'est pas grand-chose face aux doutes que nous avons désormais à votre sujet, répliques-tu.

— J'en suis navré pour vous, répond-il sans se démonter. À présent, si vous n'y voyez pas d'inconvénient, j'aimerais aller me passer un peu d'eau fraîche sur la figure. L'émotion, sans doute…

— Il n'en est pas question ! protestes-tu.

Il te lance un regard surpris.

Au fond de toi, tu sais bien que tu ne peux pas lui refuser ce qu'il te demande. Il suffit juste de prendre quelques précautions.

— Très bien ! Laissez votre arme et ce flacon sur la table !

Mais tu ne le laisses pas y aller seul, évidemment. Tu observes les quatre autres suspects et réfléchis au meilleur accompagnateur possible.

 Si tu décides d'envoyer Mademoiselle Rose avec lui, va au 47.

Si tu préfères que ce soit Monsieur Moutarde qui l'escorte, va au 58.

Si le salon du docteur est équipé d'une caméra de surveillance, il y en a forcément d'autres dans la maison.

— Excusez-moi, j'en ai pour une minute ! dis-tu en bondissant de ton siège.

Tu sors du salon et files à toute vitesse en direction du vestibule. Tu ouvres la porte et te retrouves sur le perron. Il fait nuit noire. Tu lèves les yeux et scrutes le lierre qui recouvre la façade… Bingo ! À travers les feuilles, tu aperçois une caméra braquée sur le seuil de la maison.

Tu rentres et vas questionner Antoine dans la cuisine.

— Où peut-on visionner tout ce que les caméras de surveillance enregistrent ?

— Dans le bureau ! répond-il. Suivez-moi !

 Suis-le au 55.

S'il veut jouer au plus malin avec toi, tu n'as pas l'intention de baisser les bras.

— Dites, Monsieur Violet, vous qui êtes si calé en matière de poisons, comment se fait-il que vous ne puissiez déterminer le produit qui a coûté la vie au docteur ?

— Il faudrait pratiquer une autopsie pour le savoir. Je ne suis pas médecin légiste. Un tas de produits toxiques peuvent causer la mort d'un homme : le curare, l'arsenic, le cyanure… Curieusement, certains poissons sont à déconseiller également, comme le fugu, qui vit paisiblement dans les mers japonaises, mais dont le foie est extrêmement toxique. Idem pour la sympathique grenouille cocoye, originaire de Colombie, qu'il vaut mieux éviter de caresser : c'est l'animal le plus venimeux de la Terre. Sans parler de champignons comme les amanites, qui peuvent être tout aussi redoutables.

— Vous pourriez examiner le cadavre du docteur, certains symptômes vous mettraient peut-être sur la voie…

— Je vous répète que je ne suis pas médecin légiste. On ne plaisante pas avec ces choses-là ! Il s'agit d'un mort.

Si tu penses pouvoir convaincre Monsieur Violet d'examiner le cadavre du docteur, va au 25.

Si tu penses qu'il ne fait que te mentir depuis le début de la conversation, va au 79.

38

Votre choix s'est arrêté sur Madame Leblanc. Elle est assez fourbe pour avoir manigancé un crime pareil.

Mais tu vas devoir redoubler d'habileté car, comme tout bon avocat, elle est rusée. L'attaque ne lui fait pas peur et la joute verbale est son sport préféré.

Mademoiselle Rose et toi vous approchez d'elle.

— Madame Leblanc, l'interpelles-tu, j'aimerais vous parler d'un sujet délicat.

Elle te lance un regard surpris.

— Je vous écoute.

— Quelqu'un, ici présent, m'a confié par téléphone il y a quelques jours que vous et le docteur Lenoir…

Tu hésites délibérément en guettant ses réactions.

— Oui ? Que voulez-vous dire ? demande-t-elle, impatiente.

— Eh bien… que vous éprouviez… des sentiments pour lui.

— Quoi ?!

— Oui, que vous étiez amoureuse de lui.

— Ah ! Première nouvelle ! Et, de toute façon, en quoi cela vous concernerait-il ?

— Le problème, toujours d'après cette personne, c'est que ce sentiment n'était pas du tout réciproque, renchérit Mademoiselle Rose.

Madame Leblanc marque une pause et change de ton.

— Écoutez ! Vous en dites trop ou pas assez. Il est temps de dévoiler vos sources, et nous nous expliquerons de vive voix.

— Je ne peux pas vous révéler mes sources, mais je vous assure qu'elles sont fiables, réponds-tu.

— Dans ce cas, vous êtes responsable de vos propos, et si vous les maintenez, je vous accuse de diffamation !

— Vous êtes bien susceptible, Madame Leblanc, commente ta coéquipière. Pourquoi vous mettez-vous en colère ? Est-ce un sujet tabou ?

Son visage se crispe affreusement.

— Nous voulions juste savoir si vous aviez eu l'occasion d'en parler avec le docteur récemment, ajoutes-tu pour la pousser à bout…

Tu sens qu'elle n'a qu'une envie : te gifler !

 Va au 20.

39

Tu retournes au salon et, sans même t'asseoir, tu te diriges vers Monsieur Moutarde et lui demandes de te suivre. Il t'emboîte le pas docilement jusqu'au couloir.

— Monsieur Moutarde, lui dis-tu, j'ai besoin de vous. Mon enquête est quasiment terminée : c'est Monsieur Olive qui a tué le docteur !

— Quoi ? Vous en êtes sûre ?

— Il a dans une poche un flacon contenant le poison qu'il a versé dans le verre du docteur.

— Ça alors ! réplique Monsieur Moutarde, totalement stupéfait.

— Le hic, c'est qu'il a aussi un revolver. Je ne voudrais pas qu'il ait la mauvaise idée de s'en servir. Vous voyez ce que je veux dire ?

— Oui, je crois.

— Vous voulez bien le désarmer avant que je lui pose quelques questions ?

— Comment ça ? C'est très délicat, ce que vous me demandez.

— Voyons, Monsieur Moutarde, vous avez récolté toutes les médailles possibles sur tous les tapis du monde, alors ne me dites pas que vous ne pouvez pas neutraliser ce gringalet par surprise !

On dirait que tu l'as vexé.

— Bon, très bien, finit-il par dire. Tâchez d'attirer son attention, je le prendrai à revers et l'immobiliserai. Quand ce sera fait, vous fouillerez ses poches. Mais sachez que je décline toute responsabilité sur ce qui pourrait se passer !

— Ne vous inquiétez pas ! Allons-y !

 Pour retourner dans le salon, file au 8.

— **Q**u'est-ce que c'est ? demandes-tu, très intriguée.

— Je ne sais pas, Madame.

— Allons voir !

Vous retournez en cuisine et il t'ouvre la porte sous l'évier. Une petite boîte en carton dépasse des détritus entassés dans la poubelle.

— Je pense que c'est cette boîte marron, là ! précise Antoine.

Tu la retires délicatement, avec une pointe de dégoût, et tu l'ouvres.

— On dirait des truffes en chocolat !

« Comme c'est étrange, te dis-tu. Pourquoi Mademoiselle Rose s'est-elle débarrassée de cette boîte en arrivant ? Mystère ! En tout cas, ça fait une question de plus à poser à Mademoiselle Rose. »

— Merci pour votre aide, Antoine.

Tu t'empares de la boîte et retournes au salon.

 **Fonce au 13.**

— **P**ardon ?

— Zylcodium, répète-t-il. Le docteur a avalé du zylcodium. L'odeur est reconnaissable entre mille.

— Qu'est-ce que c'est ?

— La molécule principale entrant dans la composition du zylcaviron, un poison foudroyant qui présente une particularité très intéressante.

— Ah bon ? Laquelle ?

— C'est un produit totalement inoffensif tant qu'il n'est pas couplé à…

Une forte déflagration interrompt soudain Monsieur Violet.

— Qu'est-ce que c'est ? demande-t-il, pris de panique.

Ton cœur cogne dans ta poitrine. Ce bruit, qui ressemble étrangement à une détonation, provient du salon.

Vous vous précipitez hors de la salle à manger et découvrez Madame Leblanc et Monsieur Moutarde terrifiés.

— Que s'est-il passé ? demandes-tu.

— Monsieur Olive nous a menacés avec un revolver, répond Madame Leblanc. Alors, Monsieur Moutarde a tenté de le raisonner…

— Et alors ? la presses-tu.

— Alors, Monsieur Olive a tiré un coup en l'air pour nous faire comprendre qu'il ne plaisantait pas.

— Et ?

— Et il est parti avec Mademoiselle Rose !

— C'est incroyable ! commentes-tu. Mademoiselle Rose l'a suivi de son plein gré ?

— En tout cas, elle n'a pas protesté !

— Ainsi, ils seraient tous les deux complices, fait observer Monsieur Violet en se grattant la tête.

— On dirait bien, renchérit Monsieur Moutarde.

— Ne perdons pas de temps et appelons la police ! conclus-tu.

Quel dommage ! Grâce à Monsieur Violet, tu connaissais le nom du poison. Puis, en prenant la fuite, les coupables se sont eux-mêmes désignés. Malheureusement, ça ne fait pas de ton enquête une réussite. Mais ça doit t'encourager à recommencer !

Tu ne peux pas la laisser y aller seule. Tu as confiance en elle, certes, mais de là à l'autoriser à quitter le groupe et prendre en main l'enquête…

— Ce n'est pas une bonne idée, dis-tu.

Elle te regarde bizarrement. Tu dois la rassurer et lui faire croire que tu as changé d'avis.

— Cette histoire de fouille peut attendre, expliques-tu.

— Mais je croyais que…

— Je me suis trompée. La vérité se trouve dans cette pièce où tous les protagonistes sont réunis. Nous irons fouiller un peu plus tard si c'est vraiment nécessaire. Pour le moment, observons un instant les uns et les autres, et étudions leur comportement. Le coupable finira bien par se trahir.

 Va au 78.

Peu t'importe que Mademoiselle Rose se soit débarrassée,
en arrivant, d'un mouchoir usagé ou d'une
paire de collants filés. Tu restes concentrée sur
ce que tu tiens de concret la concernant : les
révélations de Madame Leblanc et ce scénario
retrouvé sur la table de chevet du docteur. Tu
penses être en droit de la cuisiner.

Tu remercies Antoine et pénètres dans le
salon de manière triomphale en brandissant
le script.

— Mademoiselle Rose, déclames-tu, vous
nous devez quelques explications !

Les cinq convives du docteur se tournent
vers toi. Mademoiselle Rose te regarde sans
comprendre.

— Parlez-nous donc de ce scénario et de la
réponse que vous a faite le docteur !

— Je ne vois pas le rapport avec ce qu'il s'est
passé ce soir, répond Mademoiselle Rose, mais
je veux bien vous en parler.

— Laissez-moi juger du rapport entre les
éléments ! ordonnes-tu.

— Très bien, poursuit Mademoiselle Rose
sans se formaliser. Il s'agit d'un rôle auquel
je crois beaucoup, que m'a écrit Monsieur

Vermillon, un ami réalisateur. Le docteur m'ayant à plusieurs reprises fait part de son désir d'investir dans le septième art, je lui ai adressé une copie du scénario. Voilà, il n'y a rien de plus à dire !

— Vous oubliez de préciser que le docteur a refusé de participer à cette production et que votre sollicitation était beaucoup plus désespérée que vous ne la décrivez.

— Je ne vois toujours pas le rapport avec la mort du docteur.

— Il est pourtant évident ! Vous n'êtes plus aussi célèbre qu'auparavant, Mademoiselle Rose. Vous aviez besoin du docteur pour que ce film se fasse. C'était sûrement votre dernier espoir de relancer votre carrière. Mais voilà : il vous a humiliée en refusant, vous ne l'avez pas accepté et vous avez cherché à vous venger !

— Holà, Madame Pervenche ! intervient Monsieur Violet. Vous allez un peu vite en besogne. Et nous ne sommes pas à un meeting politique, personne ne vous autorise à juger ou à rabaisser les autres.

— Parfaitement ! renchérit Monsieur Olive. Vous dépassez les bornes ! Vous n'avez pas le droit de dire des choses pareilles à Mademoiselle Rose.

— Mais vous ne comprenez donc pas qu'on tient notre coupable ? insistes-tu. J'ai toujours eu beaucoup de respect pour Mademoiselle Rose, mais elle m'a dévoilé ce soir sa vraie personnalité : elle est fourbe, arriviste et calculatrice. Et comme si ça ne suffisait pas, c'est aussi une criminelle !

— Maintenant, ça suffit ! s'exclame Monsieur Violet. La mascarade est terminée. Je m'aperçois que nous avons confié les rênes de l'enquête à une folle. Faisons ce que nous aurions dû faire dès le début !

Il sort son téléphone portable et compose le numéro de Police secours.

Ta mission s'arrête là puisque les enquêteurs professionnels vont entrer en scène et prendre le relais.

Perdu !

Ce n'est pas parce que tu es convaincue de quelque chose que tu as le droit d'être arrogante ou blessante dans tes argumentations. Recommence, mais avec diplomatie cette fois !

44

Tu retrouves le reste du groupe au salon. Monsieur Moutarde t'adresse discrètement une petite moue signifiant sans doute : « Rien à signaler ! »

— Cette petite enquête avance ? te demande Monsieur Violet.

— Elle avance, je vous remercie.

Tu te tournes vers Mademoiselle Rose qui feuillette un magazine de mode.

— J'ignorais que vous aviez sollicité le docteur au sujet de la production d'un film.

Elle ne paraît pas plus étonnée que ça par ton commentaire. Elle repose tranquillement sa revue sur la table basse avant de te répondre.

— Oui, c'est un projet magnifique auquel je crois vraiment. Monsieur Vermillon m'a écrit un rôle sublime : *le* rôle dont je rêve depuis toujours.

— Comment en êtes-vous venue à demander au docteur d'investir dans ce projet ? Le cinéma, ce n'est pas son domaine…

Les quatre autres convives ne perdent pas une miette de votre conversation.

— C'est exact, explique la belle comédienne, mais il m'avait dit, un jour, que ça ne lui déplairait pas de s'y frotter. Et comme Monsieur

Vermillon éprouvait quelques difficultés à trouver de l'argent pour faire le film, j'ai pensé au docteur.

— Et quelle a été sa réponse ?

Mademoiselle Rose baisse la tête et prend un air triste.

— Hélas, il n'a pas eu le temps de me la donner. Et pour ne rien vous cacher, j'espérais bien qu'il m'en ferait part ce soir…

Tu trouves l'attitude et les réponses de Mademoiselle Rose parfaitement cohérentes et très convaincantes. D'une certaine façon, cela te rassure parce que tu ne la voyais pas dans le rôle du coupable.

Il te reste donc à aller fouiller le bureau.

 Va au 21.

Vous faites le tour de la maison, tous les trois, et tu dois reconnaître que Monsieur Violet avait raison : Mademoiselle Rose a bel et bien disparu !

Vous retournez au salon. Tu es confuse, vexée.

— Qu'est-ce que je disais ! claironne Monsieur Violet. Pour une femme politique, vous manquez singulièrement de clairvoyance, Madame Pervenche. Je ne voterai jamais pour vous !

— Il ne reste plus qu'à appeler la police, ajoute Madame Leblanc.

Tu as perdu, sans les honneurs, et tu obéis sans faire de commentaire.

Un bon investigateur ne se laisse pas dicter la marche de son enquête. La solution de cette énigme est à ta portée, donne-toi les moyens de la découvrir !

Quelques minutes plus tard, vous êtes tous les six dans le bureau du docteur à visionner la vidéo.

Pendant que la bande défile, tu observes attentivement Mademoiselle Rose et Monsieur Olive. Ils paraissent terrorisés. On dirait qu'ils meurent d'envie d'échanger un regard mais qu'ils se l'interdisent.

Tu fais signe à Antoine d'arrêter la lecture après l'arrivée de tes deux suspects favoris. Un grand silence, accompagné d'une tension palpable, envahit le bureau.

— Où se trouve cette boîte de chocolats, Mademoiselle Rose ?

— Je l'ai jetée en arrivant !

— Où ça ?

— Dans la poubelle de la cuisine.

Tu te tournes vers Antoine.

— Mademoiselle Rose est-elle venue jeter quelque chose ?

Il hoche la tête en signe d'acquiescement.

— Allez chercher cette boîte ! lui ordonnes-tu.

Tu te tournes à nouveau vers Mademoiselle Rose.

— Pourquoi vous en êtes-vous débarrassée aussitôt après que le docteur en a mangé un ?

— Parce que j'ai regretté de l'avoir apportée.

— Vous avouerez que cette histoire ne plaide pas en faveur de votre innocence, commentes-tu. Vous offrez secrètement une friandise au docteur Lenoir et, une demi-heure plus tard, il s'effondre devant nous.

Elle ne répond pas.

— Et vous, Monsieur Olive, vous avez un commentaire à faire ?

Il t'ignore, lui aussi.

Antoine revient de la cuisine avec une boîte.

— C'est bien la vôtre ? demandes-tu à Mademoiselle Rose.

— Oui.

Tu l'ouvres. Elle contient une dizaine de truffes au chocolat.

— Monsieur Violet, lances-tu, vous qui êtes intarissable sur le sujet des poisons, que vous inspirent ces chocolats ?

Il s'approche de la boîte, saisit une truffe, la casse en deux et renifle l'intérieur.

— Elles sont empoisonnées au zylcaviron, décrète-t-il. Ça ne fait aucun doute.

— Au zylca quoi ?

— Mélangé à de l'alcool, le zylcaviron est un poison foudroyant.

Tu tiens la clé de l'énigme et t'en réjouis.

— Ça explique que ce soit au moment où il a porté un toast que le docteur a réagi comme on sait. Bravo, Mademoiselle Rose ! Bravo, Monsieur Olive ! Votre plan était bien étudié. Mais on commet toujours une erreur, si infime soit-elle.

Soudain, Mademoiselle Rose fond en larmes.

— Allons-nous-en ! lui dit Monsieur Olive.

— Non, ça ne servirait à rien de fuir, sanglote-t-elle.

— Pourquoi avez-vous tué le docteur ? demandes-tu.

— Parce qu'il a ruiné mes espoirs de refaire un jour du cinéma, répond Mademoiselle Rose.

— Expliquez-vous !

— On m'a proposé un rôle magnifique, mais personne n'a voulu produire le film. En désespoir de cause, j'ai sollicité le docteur pour qu'il finance le tournage. Il a refusé. Ça m'a crevé le cœur…

Tu peux appeler la police. Tu as découvert les coupables, leur mobile et l'arme du crime. Bravo !

FIN

Sais-tu qu'il existe d'autres moyens
d'arriver aux mêmes conclusions ?
Pourquoi ne pas essayer de les trouver ?

47

Personne n'ignore que Monsieur Olive a un faible pour Mademoiselle Rose. Tu te sens rassurée qu'elle accepte de l'accompagner, il ne tentera rien qui puisse la mettre en danger.

Ils sortent tous les deux du salon et tu en profites pour interroger les autres à propos de la culpabilité de Monsieur Olive.

— Le dossier n'est pas très épais, commente Madame Leblanc qui, en tant qu'avocate, sait de quoi elle parle.

— Tout de même ! riposte Monsieur Violet. Il porte une arme à feu sur lui et un flacon pharmaceutique dont je vous garantis qu'il contient un produit pouvant servir de poison. Ça n'est pas rien !

— Et vous, qu'en pensez-vous ? demandes-tu à Monsieur Moutarde.

— Je pense qu'il faut être prudent. Nous devrions appeler la police et la laisser faire son travail !

— Attendons encore un peu, décides-tu. Monsieur Violet, pouvez-vous nous en dire plus sur ce zylco… ?

— Le zylcodium ! complète-t-il. Eh bien, c'est un produit qui présente la particularité d'être totalement inoffensif sauf si vous le combinez avec…

Vous êtes partis pour un exposé technique aussi ennuyeux qu'incompréhensible. Au bout d'une dizaine de minutes, tu le coupes.

— Au fait, vous ne trouvez pas étrange qu'ils ne soient pas encore revenus ?

Vous vous levez tous les quatre comme un seul homme et vous précipitez hors du salon. La salle de bains et les toilettes sont vides !

Vous faites le tour de la maison : Monsieur Olive et Mademoiselle Rose ont bel et bien disparu.

Tu es folle de rage ! Vous vous êtes fait avoir comme des débutants.

— Qu'est-ce que je disais ! commente Monsieur Violet, sûr de lui.

— Qu'est-ce qui s'est passé selon vous ? demande Monsieur Moutarde.

— Ça me paraît évident ! réponds-tu. Monsieur Olive a dû prendre Mademoiselle Rose en otage et s'enfuir avec elle. Il ne nous reste plus qu'à prévenir la police.

Tu as perdu.

Tu pourrais te consoler en pensant
que tu as résolu une partie de l'énigme,
à savoir l'arme du crime et l'identité
du coupable, mais même sur ce plan,
l'enquête officielle t'apprendra
que tu n'avais pas entièrement raison.
Tu n'as plus qu'à recommencer pour tenter
de découvrir ce qu'il s'est réellement passé.

Tu traverses la maison et te retrouves sur le perron, là où le docteur vous a accueillis ce soir, les uns après les autres.

L'air frais te fait du bien. La nuit est sombre, et la lune voilée par d'épais nuages. En dehors de la lointaine rumeur de la ville, le silence est total.

Soudain, tu entends un petit bruit au-dessus de ta tête. Tu regardes dans cette direction, mais ne remarques rien d'autre que le lierre qui recouvre la façade. Sans doute était-ce un insecte nocturne qui a fait bouger le feuillage.

En observant plus attentivement le lierre, tu remarques comme un reflet de verre, semblable à l'objectif d'un appareil photo ou d'un caméscope. Il s'agit à coup sûr d'une caméra de surveillance ! Tout à coup, ton cerveau s'emballe. Qui dit caméra de surveillance, dit stockage des données enregistrées !

Une seule personne va pouvoir t'aider : le majordome !

Hâte-toi d'aller au 65.

La découverte de l'arme du crime est un élément décisif dans la résolution d'une énigme policière. Aussi, tu décides d'organiser une fouille collective. Sait-on jamais ? Le coupable n'a peut-être pas eu le temps de s'en débarrasser…

— Monsieur Moutarde, dis-tu, puisque vous êtes près de la porte, vous voulez bien appeler le majordome ?

Ton conducteur du soir s'exécute, et Antoine vous rejoint au salon.

— Vous m'avez demandé ? lance-t-il sans la moindre expression sur son visage.

— Soyez gentil, Antoine, lui réponds-tu. Allez dans le vestibule et apportez-nous tous nos effets personnels, sacs et vêtements.

— Bien, Madame !

Quelques instants plus tard, il revient les bras chargés. Il se défait de son fardeau sur la table basse et tourne les talons.

— Une minute, Antoine ! le rappelles-tu. J'aimerais que vous vidiez chaque sac et que vous fouilliez chaque vêtement. Nous avons besoin de quelqu'un de neutre.

Il ne s'attendait pas à ça. Certains convives ne semblent pas beaucoup apprécier ton initiative.

— Est-ce bien nécessaire ? te demande Madame Leblanc.

— Je le crains, réponds-tu.

— Si Madame l'Enquêtrice juge ainsi cette fouille… ironise Monsieur Violet.

Sous l'insistance de ton regard, Antoine finit par t'obéir.

Il saisit une veste d'homme, enfourne les mains dans les poches intérieures comme extérieures et dépose sur la table un portefeuille, un chéquier, une boîte de pastilles pour la gorge ainsi qu'une pochette de mouchoirs en papier. En apparence, rien de compromettant. Néanmoins, afin de ne pas laisser place au moindre doute, tu te lèves pour ouvrir la boîte de médicament : ça sent l'eucalyptus et la réglisse.

Le deuxième vêtement est un manteau de femme, dont toutes les poches sont parfaitement vides. Le troisième, celui de Mademoiselle Rose, ne contient rien non plus, de même que le tien. Viennent ensuite un gilet de femme sans poche et, pour finir, un blouson d'homme, duquel Antoine extrait un coupe-ongles de voyage, un peigne, un portefeuille et un magnifique couteau à cran d'arrêt.

— Très intéressant ! commentes-tu. À qui appartient cet objet ?

Monsieur Moutarde rougit aussitôt.

— À moi, bredouille-t-il.

— Vous vous promenez souvent avec une arme blanche sur vous ? demandes-tu.

— C'est un souvenir de mon père. Je l'ai toujours sur moi. De plus, de nombreuses agressions se sont produites dans mon quartier récemment. C'est une sécurité supplémentaire.

— Quand on est champion d'arts martiaux, on ne devrait pas avoir besoin de ça ! fait observer Monsieur Violet.

— Je n'aime pas utiliser mes aptitudes en dehors des salles de sport.

— Laissez donc Monsieur Moutarde tranquille ! intervient Madame Leblanc avec autorité. Je vous rappelle que le docteur n'a pas été tué à l'arme blanche, mais qu'il a été empoisonné !

Tu n'apprécies pas beaucoup que l'avocate tire des conclusions à ta place.

— Passons aux sacs ! lances-tu à Antoine pour reprendre la main.

 Va au 53.

Vous êtes de nouveau assises sur votre banquette à l'écart des autres.

— Il est coriace, le bougre ! commentes-tu.

— Ça s'appelle un « raté » !

— J'ai bien peur que nous nous soyons discréditées nous-mêmes.

— Laissez-moi aller fouiller. Monsieur Violet ne m'a pas convaincue. Je reste persuadée que c'est lui le coupable. Il doit y avoir quelque part dans cette maison une preuve de sa culpabilité !

Au point où vous en êtes, pourquoi refuser ?

— Entendu, mais faites vite ! J'ai le sentiment que la patience de certains atteint ses limites.

Mademoiselle Rose se lève et quitte discrètement le salon.

 Va au 28.

— **V**ous n'avez pas le choix ! expliques-tu à Mademoiselle Rose. Garder le silence, c'est faire entrave à la justice. Ça s'appelle une dissimulation de preuves et ça se paie par des années de prison aux assises.

— Vous ne représentez pas la justice, que je sache !

— Certes ! Mais j'ai une crédibilité en tant que femme politique. Quand la police arrivera, ce sera ma parole contre celle d'une comédienne en manque de travail !

— La conversation est terminée. Je n'ai plus rien à vous dire.

Là-dessus, Mademoiselle Rose se lève et fait mine de quitter le bureau.

Si tu décides de la laisser rejoindre les autres, va au 86.

Si tu préfères la provoquer un peu plus en appelant la police, va au 73.

Monsieur Violet inspecte une truffe et la renifle.

— C'est bien ce que je pensais ! lâche-t-il. En jouant les héros, Monsieur Olive s'est trahi.

— Que voulez-vous dire ? interroges-tu.

— Il est le seul à ne pas avoir bu d'alcool à table, lors du toast proposé par le docteur. Chacun a accepté une flûte de champagne, sauf lui, qui a demandé de l'eau. Ça m'a surpris car il n'est pas le dernier pour trinquer, d'habitude.

— Où voulez-vous en venir ? le presses-tu.

— Ces truffes contiennent du zylcaviron. C'est un poison violent qui a la particularité de n'agir que si on l'ingère avec de l'alcool.

— Ce qui veut dire, reprends-tu, que Mademoiselle Rose et Monsieur Olive ont pu offrir une de ces truffes au docteur en arrivant, puis les jeter à la poubelle, et que l'effet du poison ne s'est produit que lorsque le docteur a avalé une gorgée de champagne ?

— Absolument ! confirme Monsieur Violet.

Vous vous tournez tous vers Mademoiselle Rose, qui baisse la tête, et Monsieur Olive, plus agité.

— C'est bien ce qui s'est passé ? leur demandes-tu.

Pas de réponse.

Comme dit l'adage : « Qui ne dit mot consent ! »

— Je me permets d'ajouter un élément, intervient Madame Leblanc. Concernant ce scénario, je sais, de la bouche du docteur lui-même, que Mademoiselle Rose lui a demandé de manière assez désespérée de financer le tournage du film et qu'il a refusé.

Cette information tombe à pic.

— Est-ce la raison de votre vengeance ? demandes-tu à Mademoiselle Rose.

L'intéressée reste silencieuse, plongée dans une sorte de léthargie.

Tu fais un bref résumé de la situation dans ta tête avant de reprendre la parole.

— Je pense que nous avons suffisamment d'éléments en main pour appeler la police.

Monsieur Olive se dresse alors en sortant un revolver de sa poche.

— Allons-nous-en ! lance-t-il à sa complice.

Mais cette dernière reste clouée sur son siège.

— Fuyez si vous voulez, mais moi, je reste. Il est temps d'assumer nos actes !

Monsieur Olive paraît totalement paniqué.

— Mademoiselle Rose a raison, lui dis-tu. Vous ne pourrez pas fuir la réalité toute votre vie. Suivez son conseil !

— Donnez-moi votre revolver ! lance courageusement Monsieur Moutarde en avançant vers lui.

Monsieur Olive hésite encore. Il implore Mademoiselle Rose du regard, tout en brandissant son arme à la ronde.

Encore quelques secondes de flottement, et il finit par se résigner, tendant son revolver à Monsieur Moutarde.

Mission accomplie ! Tu as découvert les coupables, leur mobile et l'arme du crime.

Bravo ! Grâce à toi, le meurtre du docteur Lenoir a été élucidé ! Mais sais-tu qu'il existe un moyen plus rapide de résoudre cette enquête ?

53

Antoine retourne sur la table le premier des trois sacs féminins récupérés dans le vestibule. Un trousseau de clés, un porte-monnaie, un porte-cartes et divers produits de maquillage s'en échappent. Les deux autres sacs ne contiennent rien de plus compromettant.

— On fait fausse route ! te devance une fois de plus Madame Leblanc.

— Mademoiselle Rose, réagis-tu, videz les poches de votre gilet, s'il vous plaît !

Mademoiselle Rose se lève et retourne ses poches, parfaitement vides.

— Monsieur Olive, enchaînes-tu, que contient la veste que vous portez ?

Monsieur Olive se lève à son tour et pose sur la table un portefeuille, un flacon pharmaceutique ainsi qu'un… revolver. Un léger murmure d'étonnement parcourt l'assemblée tandis qu'il sourit.

— J'ai reçu des menaces de mort récemment. Rassurez-vous, je suis parfaitement en règle. La préfecture m'a délivré un permis.

— Et ce petit flacon, qu'est-ce que c'est ? l'interroge Monsieur Violet.

— Du collyre ! Je sors d'une conjonctivite.

Monsieur Violet se lève et s'approche de la table. Il saisit le flacon, dont l'étiquette confirme qu'il s'agit bien de liquide ophtalmique, et dévisse le bouchon avant de le porter à ses narines. Il renifle un bon coup et reste songeur un instant.

— Monsieur Olive, finit-il par dire, je fais de la conjonctivite chronique et je connais très bien ce produit. Le problème, c'est que ce flacon contient autre chose que ce qu'il est censé contenir.

Tu es soudain très intéressée par les déclarations de Monsieur Violet.

—Ah bon ? Et que contient-il ? demandes-tu.

 Pour le savoir, file au 35.

54

Tu arpentes les couloirs de la maison en criant :

— Mademoiselle Rose ! Mademoiselle Rose ! Où êtes-vous ? Monsieur Olive ! Répondez !

Hélas, tu dois vite te rendre à l'évidence : ni l'un ni l'autre ne sont encore présents chez le docteur. Tu passes par la cuisine, mais Antoine n'a rien vu ni entendu ; tu te demandes même s'il comprend ce que tu lui dis, tant il paraît anéanti.

Tu retrouves les trois convives restants au salon. Il ne te reste plus qu'une chose à faire : appeler la police.

— On peut dire que vous avez fait du bon boulot, Madame Pervenche ! raille Monsieur Violet.

Tu ne trouves rien à lui répondre. En fait, tu as le cerveau en ébullition. Monsieur Olive est-il le coupable ? A-t-il forcé Mademoiselle Rose à partir avec lui ? Sont-ils au contraire de mèche tous les deux ?

Tu auras des réponses à tes questions bien assez tôt. Tu auras également droit à un savon de la part de l'inspecteur Lapipe car, d'une certaine façon, tu ne lui facilites pas la tâche.

FIN

Une personne capable de commettre
un meurtre n'aura aucun scrupule à te mentir
et à te manipuler pour s'en tirer. C'est un
principe de base que tu ne dois jamais oublier.
Que cela ne t'empêche pas de recommencer
ton enquête depuis le début !

55

Quelques instants plus tard, vous êtes tous les six dans le bureau du docteur, suspendus aux gestes du majordome.

Antoine ouvre une armoire regorgeant de matériel informatique et vidéo. Il appuie sur un bouton, et une demi-douzaine d'écrans disposés en mosaïque s'allument simultanément.

— Pouvez-vous nous montrer, s'il vous plaît, ce que la caméra placée au-dessus du perron a filmé depuis le tout début de soirée ? lui demandes-tu. En commençant à partir du moment où les premiers invités sont arrivés.

Antoine s'affaire sur les commandes des différents appareils, puis l'enregistrement se met à défiler.

On peut voir Monsieur Violet arriver le premier, accueilli par le docteur, suivi de Madame Leblanc. Viennent ensuite, en même temps, Mademoiselle Rose et Monsieur Olive…

Un silence absolu s'abat dans le bureau. Toi-même, tu retiens ton souffle. Tu es convaincue que la vérité est gravée sur cette bande magnétique.

Sur l'écran, Mademoiselle Rose s'approche du docteur qui lui baise la main. Elle sort alors une petite boîte marron de son sac à main et l'ouvre sous son nez. Le maître des lieux saisit délicatement un chocolat et l'enfourne goulûment dans sa bouche. Monsieur Olive se tient en retrait, l'air nerveux, l'œil aux aguets. Puis il sert la main du docteur, et tous trois pénètrent dans la maison.

— Merci, Antoine, vous pouvez arrêter la bande !

 Va au 18.

56

Tu te lèves et prends ton air le plus sévère.

— Vous êtes grotesque, Monsieur Olive, lâchez cette arme et ne faites pas de bêtise !

— Retirez-vous du passage et ne tentez rien, sinon je tire ! répond Monsieur Olive.

— Vous ne le ferez pas !

Le visage rouge sang, Monsieur Olive te toise durement. Tous les regards sont tournés vers lui. La tension est à son comble.

Il braque alors son arme dans ta direction.

— Ne me poussez pas à bout, Madame Pervenche !

— Vous n'êtes pas un assassin, Monsieur Olive, tentes-tu de l'amadouer. Soyez raisonnable et pensez aux conséquences de tout ça !

Tu fais un pas vers lui, une main tendue.

Ses lèvres et sa main se mettent à trembler.

— Arrêtez ! s'écrie-t-il.

Tu avances encore un peu.

— Vous l'aurez voulu ! murmure-t-il.

La détonation retentit.

Une violente douleur à la cuisse te saisit. Tes jambes se dérobent sous toi, tu t'écroules. Avant d'avoir touché le sol, tu as perdu connaissance.

Tu ne voulais pas perdre une nuit au commissariat, tu l'as passée à l'hôpital. Tu te réveilles le lendemain matin dans une chambre blanche, un énorme pansement sur la cuisse. La balle, qui s'était logée tout près du fémur, a été retirée. Une chance qu'elle n'ait pas fait exploser l'os !

Quant à tes talents d'enquêtrice, tu dois admettre que tu n'as pas encore fait tes preuves : les coupables se sont enfuis, un convive a été pris en otage et tu as été blessée… Ce n'est pas ce qu'on appelle une enquête rondement menée !

Tu as démontré que tu avais du courage. C'est une qualité que l'on retrouve chez beaucoup de héros de séries policières. Recommence en mesurant mieux les risques encourus !

— Qu'attendez-vous de moi ? te demande Mademoiselle Rose à voix basse.

— Nous devons commencer par fouiller la maison. Il existe peut-être, quelque part, un objet ou un document compromettant, ou tout au moins qui nous mette sur la voie.

— Vous avez raison, on ne peut pas écarter cette hypothèse.

— Mais l'une d'entre nous doit rester ici pour surveiller le groupe. Le coupable pourrait être tenté de prendre la poudre d'escampette.

— Absolument ! réplique-t-elle. Surtout s'il sait qu'il y a une pièce à conviction à découvrir, il n'attendra sûrement pas notre retour.

— Nous devons agir vite et rester très prudentes.

— Je veux bien aller fureter pendant que vous garderez un œil sur eux.

Tu ne voyais pas les choses de cette façon et, surtout, tu ne t'attendais pas à ce qu'elle se montre si volontaire. Tu hésites à accepter.

Si tu décides de lui faire confiance pour mener à bien cette tâche, va au 63.

Si tu refuses sa proposition, va au 42.

Monsieur Moutarde ne se fait pas prier pour accompagner Monsieur Olive. Il n'en ferait qu'une bouchée si ce dernier tentait quelque chose. Tu les regardes sortir du salon, pleinement rassurée.

Pendant leur absence, tu interroges Mademoiselle Rose.

— Vous ne vous êtes pas beaucoup exprimée, ce soir. Quel est votre avis sur toute cette affaire ?

— À vrai dire, je n'en ai pas, répond-elle. Je n'arrive pas vraiment à me faire à l'idée que le docteur est mort. C'est comme un cauchemar dont je ne serais pas encore sortie.

— Je vous comprends, poursuis-tu. Mais votre intuition ne vous dicte-t-elle rien ?

— Non. Je suis désolée.

— Il y a tout de même des éléments troublants concernant Monsieur Olive, vous en pensez bien quelque chose ?

Mademoiselle Rose n'a pas le temps de répondre car le salon est tout à coup plongé dans le noir. L'obscurité est totale.

— Que se passe-t-il ? demandes-tu, prise de panique.

— Les plombs ont dû sauter, suggère Monsieur Violet.

— Savez-vous où ils se trouvent ?

— Il faudrait peut-être rappeler Antoine, propose Madame Leblanc.

— Inutile, j'ai ma petite idée, reprend Monsieur Violet.

Il allume son téléphone portable et s'en sert comme d'unc lampe de poche.

— Suivez-moi ! dit-il.

En file indienne, vous suivez tous les quatre Monsieur Violet dans le couloir, jusqu'à la salle de bains. Toute la maison est dans le noir. Vous pénétrez dans la première pièce où se trouve le lavabo. Puis Monsieur Violet ouvre la porte donnant sur les W.C. Il braque sa lampe de fortune sur le mur, et le tableau électrique apparaît. Monsieur Violet appuie sur un gros bouton vert, et la lumière revient soudain.

Une fraction de seconde plus tard, un cri déchirant te glace les sangs. C'est Madame Leblanc qui a trébuché sur le corps de Monsieur Moutarde.

Tu te baisses aussitôt et soulèves son poignet.

— Son cœur bat ! lâches-tu, soulagée.

Tu examines son crâne et notes qu'un peu de sang coule dans ses cheveux.

— Il a juste été assommé, ajoutes-tu.

— En tout cas, conclut Monsieur Violet, on dirait bien que Monsieur Olive vient de signer ses aveux.

— Oui, soupires-tu. Une fois qu'il a coupé le courant, ça a dû être un jeu d'enfant de sortir des W.C. sans faire de bruit, d'assommer Monsieur Moutarde et de prendre la fuite.

— Il ne nous reste plus qu'à alerter la police, ajoute Madame Leblanc.

— Un mort, un blessé, et le coupable en fuite : joli bilan ! renchérit Monsieur Violet. Bravo, Madame Pervenche !

Tu n'avais pas besoin de ce commentaire moqueur pour comprendre que tu as perdu la partie.

Tu aurais dû te douter qu'il s'agissait d'une ruse. Monsieur Olive savait très bien que le tableau électrique se trouvait dans les W.C. La prochaine fois, sois plus prudente !

Tu réalises que tu ne dois pas agresser Mademoiselle Rose. Il te faut au contraire user de douceur et de diplomatie pour l'amener à se confier.

— Voyons, Mademoiselle Rose, je ne suis pas votre ennemie. Vous pouvez me parler en toute confiance. Je n'ai jamais pensé que vous étiez coupablc.

— Que feriez-vous si vous aviez la certitude qu'un de vos amis, ici présent, était l'assassin du docteur ?

— Je conviens que ce serait très délicat, mais je n'hésiterais pas longtemps à le dénoncer, ne serait-ce que par respect pour le docteur.

— Même si vous étiez plus liée à cette personne qu'au docteur ?

Tu réfléchis car elle te pose une colle.

— Je pense que je le ferais quand même, finis-tu par répondre. Car la vérité triomphe toujours au bout du compte. Et on peut regretter d'avoir menti, mais pas d'avoir dit la vérité. Jamais !

Mademoiselle Rose reste silencieuse.

Tu l'observes en passant en revue les quatre suspects restants : Monsieur Moutarde, Monsieur Violet, Monsieur Olive et Madame

Leblanc. Tu n'es absolument pas au courant de cette relation étroite que Mademoiselle Rose entretiendrait avec l'un d'eux. Tu sais seulement que Monsieur Olive en pince pour elle depuis des années, ce qui n'est un secret pour personne.

— Vous voulez parler de Monsieur Olive, n'est-ce pas ? improvises-tu.

Elle ne te contredit pas.

 Va vite au 83.

Monsieur Violet n'a pas un caractère facile. Tu vas devoir ruser pour le faire parler. Tu sais qu'il ne faut surtout pas l'attaquer frontalement. Il ne doit pas se douter qu'il est l'un de tes principaux suspects.

Tu t'assieds à côté de lui sur le canapé.

— J'aimerais avoir votre opinion sur cette affaire, lui dis-tu à voix basse.

— Mon opinion ? s'esclaffe-t-il.

— Chut ! Je vous demande ça à titre confidentiel. Vous connaissiez bien le docteur, vous aussi. Vous êtes intelligent, et votre raisonnement de scientifique m'intéresse.

Il baisse d'un ton.

— Certes, tout flatteur vit aux dépens de celui qui l'écoute, Madame Pervenche, mais vous faites fausse route : il n'y a aucun fromage dans mon bec.

— Ne soyez pas idiot ! Vous tenez comme moi à savoir qui a tué notre ami, n'est-ce pas ?

— Naturellement ! Mais ce n'est pas pour autant que je soutiens votre initiative.

— Vous devez m'aider ! insistes-tu.

— Pourquoi le ferais-je ?

— En souvenir du docteur !

Monsieur Violet examine les ongles de ses mains.

— Je ne sais rien, Madame Pervenche. Je ne peux pas vous aider.

— L'intuition joue un rôle non négligeable dans la recherche scientifique, et elle fait parfois gagner bien du temps. Que vous dicte-t-elle ce soir ?

— De quoi parlez-vous ?

— Du criminel, Monsieur Violet. De l'assassin du docteur.

Il sourit.

— Vous n'allez pas aimer ce que me susurre mon intuition.

— Dites toujours !

— Elle hésite entre deux personnes. Vous voulez savoir qui est la première ?

— Au risque de me répéter, je vous en serais très reconnaissante.

— Vous !

 Va au 88.

61

— Je n'en déduis rien du tout, répond Madame Leblanc. Je vous livre simplement une information qui peut avoir son importance.

— Êtes-vous certaine que le docteur a donné sa réponse à Mademoiselle Rose ?

— Il me l'a affirmé !

Si Madame Leblanc dit la vérité, cette piste doit, en effet, être prise au sérieux. La vengeance est un mobile comme un autre, et de nombreux crimes sont commis chaque jour en son nom.

— Je peux vous demander un service, Madame Leblanc ?

— Lequel ?

— Pouvez-vous retourner au salon et veiller à ce que personne n'en sorte ?

Elle te scrute avant de répondre :

— Pourquoi vous ferais-je confiance ?

— Vous venez de me faire une confidence, n'est-ce pas ? Ce n'est pas une marque de méfiance.

— En effet.

— Autre chose : je suis à pied, ce soir. Monsieur Moutarde m'a amenée. Si l'idée de fuir me venait, je n'irais pas bien loin…

Madame Leblanc t'adresse un petit sourire.

— C'est d'accord ! Je vous laisse dix minutes.
Qu'allez vous faire ?

Si tu décides de fouiller la maison, va
au 67.

Si tu préfères demander à Madame
Leblanc de t'envoyer Mademoiselle
Rose, va au 72.

62

— Ça m'est arrivé, répond Mademoiselle Rose. Pourquoi me demandez-vous ça ?

— Parce que nous allons tenter un coup de bluff. Nous allons inventer de toutes pièces une histoire concernant l'un ou l'autre et la leur lancer à la figure. Leur réaction devrait être très intéressante. Mais il faut accepter l'idée que, comme à quitte ou double, on puisse tout perdre et mettre ainsi fin à nos chances de résoudre cette enquête avant l'arrivée de la police.

— C'est assez tentant ! Mais quelle genre d'histoire allons-nous inventer ?

— Laissez-moi faire, je vais improviser. Contentez-vous de me soutenir en prenant le relais de temps à autre et de faire semblant d'en savoir autant que moi ! Il faut vraiment leur mettre la pression.

— Comment comptez-vous vous y prendre ? Allez-vous les interpeller devant les autres ou voulez-vous qu'on s'isole ?

— Ce sera beaucoup plus efficace si on opère publiquement ! La tension sera plus forte et il nous sera plus facile de les déstabiliser. Mais auparavant, nous devons faire le choix du suspect, sans nous tromper, parce que si ça ne marche pas avec le premier, on ne pourra pas recommencer avec l'autre, ça ferait trop réchauffé !

Si vous vous décidez pour Monsieur Violet, va au 11.

Si votre choix se porte sur Madame Leblanc, va au 38.

63

— Allez-y ! lances-tu à Mademoiselle Rose. Et soyez prudente !

Mademoiselle Rose s'éclipse discrètement du salon tandis que tu te rapproches des autres.

Monsieur Violet et Monsieur Moutarde parlent football. Monsieur Olive et Madame Leblanc échangent leurs points de vue sur le drame qui s'est déroulé ce soir tout en évoquant quelques souvenirs partagés avec le docteur. Tu décides de te joindre à leur discussion.

— Je me demande comment on peut s'en prendre à un homme aussi bon que le docteur Lenoir, lances-tu.

— Une chose est sûre, rebondit Madame Leblanc, s'il est réellement mort par empoisonnement, c'est que le crime était prémédité. Je ne connais personne qui se balade tous les jours avec une fiole contenant du poison sur lui.

— Vous avez raison, approuves-tu. Autant un coup de feu peut partir tout seul, comme une bagarre peut mal tourner, mais un empoisonnement, ça n'a rien à voir avec un accident !

— Oui, renchérit Monsieur Olive, nous devons donc écarter la colère ou la folie passagère. Le meurtrier a eu le temps de ruminer son geste, et les raisons qui l'ont poussé à l'accomplir doivent être profondes.

Sa phrase à peine terminée, Monsieur Olive sort son téléphone de sa poche. Il a dû le sentir vibrer car on dirait bien qu'un nouveau message vient d'arriver et qu'il est en train de le lire.

Votre conversation reprend, puis Monsieur Olive te demande :

— Au fait, où est Mademoiselle Rose ?

— À la recherche de pièces à conviction, réponds-tu.

— Vraiment ? J'aimerais beaucoup aller l'aider. Plus on sera nombreux, plus on sera efficaces !

 Si tu acceptes la proposition de Monsieur Olive, va au 34.

Si tu la rejettes, va au 7.

64

Monsieur Moutarde possède un atout majeur par rapport à Mademoiselle Rose : il est champion d'arts martiaux. Qualité négligeable pour aller à la chasse aux papillons, mais avantage capital lorsqu'il s'agit d'affronter un assassin !

Pour plus de discrétion, tu décides de t'adresser à lui par texto : « Monsieur Moutarde, tapes-tu sur le clavier de ton téléphone, voulez-vous collaborer avec moi sur cette enquête ? Je ne m'en sortirai pas toute seule. »

Tu appuies sur « envoi ». Quelques secondes plus tard, Monsieur Moutarde sort son téléphone de sa poche et pianote…

Ton appareil vibre à son tour. Tu lis le SMS qui vient d'arriver : « Qu'attendez-vous de moi ? » Tu réponds : « Dans un premier temps, je vous demande de veiller sur le groupe pendant que j'irai fouiller la maison et, si quelqu'un tente de fuir, de m'appeler immédiatement tout en l'en empêchant. »

Lorsqu'il réceptionne ce message, il t'adresse un clin d'œil discret.

« Parfait ! » te dis-tu. Tu vas pouvoir aller fureter librement et en toute sécurité.

Mais la maison du docteur est vaste. Tu ne

pourras pas tout explorer. Tu vas devoir faire l'impasse sur certaines pièces. Selon toi, on conserve les documents importants soit dans son bureau, soit dans sa chambre à coucher, qui sont les deux pièces les plus privées d'une habitation.

Si tu décides de commencer par le bureau, va au 69.

Si tu choisis de fouiller d'abord la chambre du docteur, va au 6.

Tu te précipites à l'intérieur de la maison et retrouves Antoine dans la cuisine. Le malheureux fait peine à voir. Il a l'air très ébranlé par le décès de son employeur.

Tu lui expliques que tu viens d'apercevoir une caméra de surveillance au-dessus de l'entrée de la maison.

— Est-il possible de visionner ce que la caméra a enregistré au cours de la soirée ?

— Bien sûr, Madame ! Suivez-moi !

 Suis-le au 74.

Tu hurles « Au secours ! » tandis que Monsieur Violet sort du bureau.

Quelques secondes plus tard, Monsieur Moutarde arrive en courant.

— Vous êtes blessée ?

— Rattrapez-le ! Il vient de s'enfuir. Ne vous inquiétez pas pour moi !

Ton coéquipier tourne les talons et part à la poursuite de Monsieur Violet.

Ce dernier n'a pas eu le temps d'aller bien loin. Monsieur Moutarde le rejoint dans l'allée qui mène aux grilles et le ceinture sans aucune difficulté.

 Va au 80.

— Je vais tâcher de découvrir quelque chose dans cette maison qui confirmerait ou infirmerait votre hypothèse.

— Bonne chance ! te répond Madame Leblanc en ouvrant la porte du salon.

Tu t'enfonces dans le long couloir.

En dix minutes, tu n'as pas le temps de te lancer dans une fouille sérieuse. Tu vas devoir te fier à ton instinct plutôt que de te livrer à un travail méticuleux.

Quelle pièce visiter ? Le bureau, la chambre, la salle de jeux ?

Va pour la chambre à coucher du docteur !

Lorsque tu pousses la porte, tu es prise d'une vive émotion. Tu te sens coupable d'intrusion : personne ne t'a autorisée à pénétrer sur ce territoire privé. En même temps, cette indiscrétion te fait pleinement réaliser le drame qui s'est produit ce soir. Tu as une pensée pour ton ami décédé. Ne serait-ce que pour lui, tu dois démasquer le meurtrier ! Cette pensée te rappelle pourquoi tu es là.

Ton regard scrute la pièce tel un faisceau laser. Une table dans un coin attire ton attention. Tu t'approches et observes ce qui est posé dessus : un ordinateur portable fermé, une pile de livres en apparence neufs, quelques DVD encore sous cellophane et une sacoche en cuir vide.

Tu ouvres le tiroir et tombes sur des jeux de cartes, des modes d'emploi de différents appareils, des bougies… Tu n'es pas sur la bonne piste. Tu te retournes, fais face à une commode. Tu inspectes rapidement son contenu en glissant les mains à travers le linge froid. L'armoire normande ne t'en apprend pas plus.

Tu te tournes vers le lit, encadré par deux tables de chevet. Tu te précipites. Une sorte de manuscrit est posé sur l'une d'elles. « *Madame de toutes les couleurs,* un film de Monsieur Vermillon, avec Mademoiselle Rose dans le rôle-titre ». Gagné !

Tu feuillettes les pages et fais tomber une feuille pliée en quatre. Tu la ramasses et la parcours des yeux.

Cher Docteur,

Comme promis, je vous adresse un exemplaire du scénario dont je vous ai parlé au téléphone.

J'aimerais tant qu'il vous plaise ! Monsieur Vermillon, le talentueux auteur-réalisateur du film a écrit spécialement pour moi ce rôle magnifique qui va relancer ma carrière.

Malheureusement, il éprouve quelques difficultés à trouver des partenaires financiers.

J'espère de tout mon cœur que vous accepterez d'investir dans ce beau projet.

Amicalement,

Mademoiselle Rose.

Madame Leblanc ne t'a pas menti !

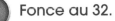 Fonce au 32.

68

— **E**t si vous nous montriez votre revolver, à présent ! lui lances-tu.

Monsieur Olive a un moment de panique, mais il se reprend très vite.

— En effet, je porte une arme sur moi depuis que j'ai reçu des lettres de menaces. La police est au courant, vous pourrez le vérifier. Et je possède un permis en bonne et due forme.

Tu penses maintenant avoir suffisamment d'éléments pour passer à l'attaque

— Avouez que c'est très pratique d'avoir une arme à feu sur soi lorsqu'on a empoisonné un homme, en cas d'imprévu…

— Que voulez-vous dire ?

Le ton de Monsieur Olive n'est plus ironique du tout. Peut-être sent-il l'étau se refermer.

— Je veux dire que tout porte à croire que vous êtes le meurtrier du docteur Lenoir, Monsieur Olive. Quelle était la nature du contentieux qui vous opposait à lui ?

— Quoi ? Quel contentieux ?

Son expression est soudain trouble. Il cherche une explication dans les yeux de Mademoiselle Rose, mais celle-ci ne daigne pas le regarder. Pris de panique, il se lève et vous menace tous.

— Mademoiselle Rose ? lance-t-il d'un air désespéré.

Celle-ci refuse de se tourner vers lui.

Il recule jusqu'à la porte en vous tenant en joue, puis il disparaît sans ajouter un mot.

Vous vous retrouvez tous les cinq, abasourdis.

Tu n'as plus de doute : Monsieur Olive, pris au piège, a préféré fuir. Tu penses avoir découvert le coupable et l'arme du crime, mais tu te trompes, comme l'enquête officielle te le démontrera.

Tu as perdu.

Tu es allée un peu vite en besogne
et tu es passée à côté de la vérité !
De plus, tu as pris de gros risques en défiant
un homme armé. Recommence ton enquête
en agissant cette fois avec prudence !

69

Tu quittes le salon sans donner d'explication à personne, et d'ailleurs personne ne t'en demande. Tu sors, l'esprit tranquille : qui oserait se mesurer à Monsieur Moutarde pour franchir la porte ?

Tu traverses la maison silencieuse. C'est étrange comme la présence d'un mort peut plonger un endroit dans le calme absolu. D'ordinaire, cette villa pétille de vie, elle donne envie de chantonner. Ce soir, elle transpire la tristesse et l'ennui.

Tu atteins le seuil du bureau, dont la porte est restée ouverte. Tu t'attendais presque à retrouver le docteur assis derrière sa table de travail… Mais il n'y a personne. La lampe de bibliothèque verte éclaire le clavier de l'ordinateur.

Tu contournes le meuble et t'assieds à la place de l'ancien maître des lieux.

Tu prends plusieurs profondes inspirations pour te donner du courage. Puis ton attention se porte sur une pile de documents se trouvant sur un coin du bureau. Tu la saisis et feuillettes. Des lettres de banque, des factures de gaz ou d'électricité, des contrats d'entretien pour divers appareils… Rien de passionnant.

Tu passes aux tiroirs. Les documents sont classés dans des chemises : « Téléphone », « Impôts », « Internet », « Assurance », « Mutuelle », « Sécurité sociale », etc. Tu parcours l'ensemble en étant déjà persuadée que cette recherche ne te mènera nulle part.

En refermant une chemise, tu fais légèrement bouger la souris de l'ordinateur, et l'écran s'illumine ; il était simplement en veille.

Apparemment, la dernière action du docteur sur son ordinateur aura été de consulter sa messagerie puisque celle-ci s'affiche.

Tu t'approches de l'écran et inspectes les derniers e-mails entrants...

 Va au 14.

Tu as toujours éprouvé tendresse et respect pour Mademoiselle Rose, cette jeune et belle femme qui se montre constamment aimable et disponible. Elle a choisi un métier difficile, et tu la trouves courageuse. Elle ferait une coéquipière idéale.

Alors qu'elle se tient, rêveuse, près de la fenêtre, le regard perdu dans la nuit, tu t'approches.

— Mademoiselle Rose, j'ai besoin de vous.

Elle se retourne.

—J'ai totalement confiance en vous, ajoutes-tu, et j'aimerais que vous m'assistiez dans mon enquête.

Son visage s'éclaire soudain.

— Vous le pensez vraiment ? Je serais ravie de vous aider.

— Mettons-nous à l'écart pour en discuter à l'abri des oreilles indiscrètes.

Vous faites quelques pas vers un coin du salon où se trouve une banquette à deux places.

 Va au 57.

— **C**oncentrons-nous sur Madame Leblanc et Monsieur Violet ! suggères-tu.

Ces deux-là sont en pleine conversation. De là où vous êtes assises, vous n'entendez pas ce qu'ils se disent.

— Ils ont pourtant l'air plutôt à l'aise, commentes-tu.

— Madame Leblanc l'est toujours. N'oubliez pas qu'elle est avocate ! Ça fait partie des choses qu'on vous enseigne à l'École de la magistrature !

— Vous avez raison... Sous ses manières de grande dame, je la croirais volontiers calculatrice, voire manipulatrice... Quant à Monsieur Violet, sa suffisance m'a toujours agacée. Je ne supporte pas sa prétention, cette façon qu'il a de toujours tout savoir mieux que tout le monde et de vous regarder de haut !

— Je ne vous contredirai pas sur ce point, approuve ta coéquipière.

Un ange passe.

— Avez-vous déjà joué au poker, Mademoiselle Rose ?

 Va au 62.

— J'aimerais bavarder un peu avec Mademoiselle Rose. Auriez-vous la gentillesse de lui demander de me rejoindre dans le bureau ?

— C'est comme si c'était fait.

Elle disparaît dans le salon, et quelques secondes plus tard, Mademoiselle Rose et toi vous retrouvez dans le bureau du docteur. Vous prenez chacune un siège, et elle te fixe du regard, semblant attendre que tu lui expliques ce que tu lui veux.

— Je viens d'apprendre que vous avez sollicité le docteur pour produire un film dans lequel vous auriez le premier rôle.

— C'est exact, répond-elle sans détour. Un rôle magnifique, écrit sur mesure par mon ami Monsieur Vermillon. Je traverse une période très délicate, Madame Pervenche. On ne me propose plus grand-chose. Ce projet est réellement exaltant, c'est peut-être le rôle de ma vie.

— Vous avez dû être déçue par le refus du docteur...

Elle soupire avec lassitude et résignation.

— Que voulez-vous ? C'était son choix, et je le respecte.

— La police pensera que vous avez peut-être

cherché à vous venger en empoisonnant le docteur.

Mademoiselle Rose prend un air outré.

— Comment pouvez-vous insinuer une chose pareille ?

— Je n'insinue rien, j'essaie d'anticiper le raisonnement des enquêteurs.

— Ça revient au même, rétorque-t-elle, toujours en colère. Mais je suis innocente, vous entendez ? Et je peux le prouver !

Tu ouvres de grands yeux.

— Ah bon ? Alors pourquoi ne le faites-vous pas, Mademoiselle Rose ?

Elle se recale sur sa chaise et baisse d'un ton.

— Je ne le ferai que s'il n'y a pas d'autre solution.

— Pourquoi donc ?

— Parce que cela mettrait en cause une tierce personne. Tant que je peux éviter de la compromettre…

Si tu décides d'utiliser la méthode douce pour faire parler Mademoiselle Rose, va au 59.

Si tu préfères employer la manière forte, va au 51.

73

Tu dois profiter de ce tête-à-tête pour faire craquer Mademoiselle Rose. Il ne faut pas la laisser partir. Pour cela, un seul moyen : la provoquer encore.

— Moi, j'ai encore des choses à vous dire, improvises-tu.

Elle se retourne.

— Qu'est-ce qui vous fait croire que ça peut m'intéresser ?

Prise de court, tu sors ton téléphone portable.

— J'appelle la police ! dis-tu.

— Ça aussi, je peux le faire.

Elle empoigne à son tour son mobile et compose un numéro. Tu ne t'attendais pas à ça et tu suspends ton geste.

— Qui appelez-vous ? demandes-tu.

Elle ne se donne pas la peine de te répondre. Lorsque son interlocuteur décroche, elle lâche simplement :

— Venez vite dans le bureau ! Passons au plan B de l'opération.

Tu la regardes, stupéfaite.

— Qu'est-ce que ça veut dire ?

Avant qu'elle t'ait répondu, la porte s'ouvre brusquement, et Monsieur Olive entre, revolver au poing.

— Allons-y ! lui dit Mademoiselle Rose.

Sous la menace de l'arme, tu ne peux que regarder, impuissante, Mademoiselle Rose et Monsieur Olive quitter la maison du docteur.

Bien sûr, tu appelles la police dès qu'ils sont partis et tu dis tout ce que tu sais afin que la voiture des fuyards soit interceptée, mais cela ne servira à rien. Tu peux légitimement penser que tu as découvert l'identité des coupables, mais tu ignores toujours tout de leur mobile et de l'arme du crime. Tu as perdu.

Mademoiselle Rose t'a menée en bateau et tu as fait preuve de naïveté. Essaie de te focaliser sur des éléments concrets plutôt que de donner trop d'importance à la psychologie des suspects. Recommence !

74

Antoine te guide jusqu'au bureau.

La régie vidéo est dissimulée à l'intérieur d'une armoire rustique. Des moniteurs de contrôle permettent d'observer en temps réel ce qu'il se passe dans les endroits stratégiques de la propriété : le portail du jardin, la porte d'entrée, le salon, la véranda, la salle de jeux…

Antoine manipule les appareils pendant quelques instants et parvient à caler la bande.

— Voici ce que cette caméra a enregistré ce soir, dit-il en lançant la lecture.

Sur l'un des écrans, on aperçoit le docteur, vu de haut, accueillir Monsieur Violet. Quelques minutes plus tard, c'est au tour de Madame Leblanc d'arriver. Viennent ensuite Mademoiselle Rose et Monsieur Olive, ensemble. Leur comportement te paraît aussitôt suspect : Monsieur Olive se tient à l'écart, comme aux aguets, jetant des coups d'œil dans toutes les directions, tandis que Mademoiselle Rose parle avec le docteur. Elle ouvre son sac et lui tend une boîte. Il pioche dedans et porte à sa bouche l'objet recueilli.

— Attendez ! dis-tu à Antoine. Vous pouvez revenir en arrière et repasser ce passage au ralenti ?

Antoine t'obéit, et tu te rapproches de l'écran. Monsieur Olive fait manifestement le guet, comme si personne ne devait les surprendre. Quant à ce qu'offre Mademoiselle Rose au docteur, il ne fait aucun doute qu'il s'agit d'un chocolat.

Pour toi, les choses sont limpides : Mademoiselle Rose et Monsieur Olive ont empoisonné le docteur par l'intermédiaire de ce chocolat. Le poison aura mis une petite demi-heure pour produire son effet.

— Qu'en pensez-vous, Antoine ?

— Permettez-moi de rester en dehors de ça, Madame, s'il vous plaît.

Tu n'insistes pas.

— Restez là, je vous prie ! Je vais chercher les autres : nous allons regarder l'enregistrement tous ensemble.

 Va au 46.

75

— Mademoiselle Rose, dis-tu, j'aimerais vous parler en privé.

Elle lève le nez de son magazine.

— À quel sujet ?

Tu lui prends la main de façon rassurante.

— Suivez-moi...

Elle t'emboîte le pas et te suit jusqu'au bureau du docteur où vous serez plus tranquilles.

— Que se passe-t-il ? te demande-t-elle une fois la porte refermée.

— Je suis tombée sur votre scénario. Il se trouvait sur la table de chevet du docteur.

Elle ne réagit pas, semblant attendre la suite, les bras croisés sur sa poitrine.

— D'après la lettre qui était glissée à l'intérieur, vous lui demandiez de produire ce film, poursuis-tu.

— En effet, je l'ai sollicité, comme je l'ai fait avec d'autres personnes de mon entourage.

— Quelle a été sa réponse ?

— Je pensais qu'il me la donnerait ce soir. Je vais devoir me faire une raison.

Les répliques de Mademoiselle Rose sont sèches. Elle, d'habitude si avenante, si charmante, te regarde avec une pointe de méfiance.

— Comment auriez-vous réagi s'il avait refusé de vous aider ?

— Madame Pervenche, vos insinuations sont blessantes. Qu'est-ce que vous allez imaginer ? Que j'ai tué le docteur parce qu'il aurait décidé de ne pas produire ce film ? Vos propos sont calomnieux !

Tu t'en veux d'être allée un peu loin.

— Calmez-vous, Mademoiselle Rose. Je n'insinue rien du tout, je n'ai jamais pensé une seconde que vous puissiez être liée de près ou de loin à cet empoisonnement.

— Alors, que me voulez-vous ? Pourquoi cet aparté ?

Tu baisses la tête et soupires.

— Je suis bien obligée d'étudier toutes les pistes qui se présentent. Et croyez-moi, elles ne sont pas nombreuses. Je vous avoue que je me suis imposé une mission qui me dépasse un peu.

— Personne ne vous y a forcée, fait-elle remarquer.

— C'est exact. Mais je ne l'ai pas décidé dans mon intérêt personnel. Je demande juste un minimum de compréhension et qu'on réponde simplement à mes questions quand on n'a rien à se reprocher.

Mademoiselle Rose s'approche de toi et pose une main amicale sur ton épaule.

— Je vous prie de m'excuser, cette soirée est tellement pénible… À partir de maintenant, je vous promets de collaborer. Et n'hésitez pas à me solliciter. D'accord ?

Tu acquiesces d'un hochement de tête.

— Retournons au salon ! dis-tu.

 Va au 84.

76

Lorsque tu retrouves le groupe au salon, les discussions cessent instantanément. Tout le monde se tourne vers toi, comme si chacun pressentait que tu revenais avec un gros atout en main. Et d'ailleurs, tu ne tardes pas à l'abattre.

— Monsieur Olive, dis-tu, je serais curieuse de voir ce que contiennent vos poches.

L'attention générale se reporte aussitôt sur l'intéressé, dont la première réaction est de lancer un regard aussi noir qu'étonné à Mademoiselle Rose.

— Pour quelle raison devrais-je être le seul à subir cette humiliation ? répond-il.

— Parce que je vous le demande gentiment.

— Eh bien, je refuse. Vous n'êtes pas commissaire de police, que je sache.

— Votre attitude ne fait que renforcer les soupçons à votre égard, ajoutes-tu.

— Les soupçons ? Quels soupçons ?

Tu décides d'adapter ta stratégie à la situation.

—Alors, procédons différemment ! reprends-tu. Si je devine les objets qui se cachent dans votre veste, je suppose que vous serez assez beau joueur pour les montrer à nos amis.

Il te fixe, interloqué, sans répondre.

— Commençons par ce flacon de collyre, poursuis-tu.

Monsieur Olive éclate de rire.

— Effectivement, je sors d'une conjonctivite et j'utilise encore plusieurs fois par jour ce médicament, répond-il en l'exhibant.

— Je pense que la police sera très pressée d'analyser le contenu de ce flacon qui, selon moi, renferme bien autre chose que du collyre. Du poison, par exemple.

Ton interlocuteur fait soudain une drôle de tête. Cependant, il ne proteste pas, se contentant d'un petit ricanement.

En tout cas, Mademoiselle Rose ne t'a pas menti. Tu peux continuer ton inventaire sans trop de risques.

 Va au 68.

« **N**e nous emballons pas ! » te dis-tu. Tu as fait une découverte importante, soit ! La défense de Monsieur Violet te semble un peu désinvolte, en tout cas loin d'être convaincante ? Tu n'es pas la seule à le penser. Mais la prudence t'incite à garder la tête froide. On n'accuse pas les gens à la légère. Tu estimes qu'il te faut davantage de preuves.

Tout à l'heure, tu hésitais, pour commencer, entre fouiller la chambre et explorer le bureau. Tu as vérifié le bureau ; il est temps, à présent, d'aller jeter un coup d'œil dans la chambre.

Tu adresses un regard complice à Monsieur Moutarde, qui te répond par un nouveau clin d'œil.

— Je reviens dans quelques minutes, lances-tu à la cantonade.

— Vous allez nous manquer ! ironise Monsieur Violet.

Tu ne relèves pas.

 Va au 30.

Cela fait une dizaine de minutes que vous scrutez les faits et gestes des convives du docteur, mais aucun n'a commis la moindre faute.

— Lequel d'entre eux vous paraît capable de commettre un meurtre ? finis-tu par demander à Mademoiselle Rose.

— Je n'en ai pas la moindre idée.

— Si vous étiez obligée de désigner un coupable, vers qui votre instinct vous guiderait-il ?

Elle regarde alternativement les quatre suspects en se gardant bien de se prononcer.

— Procédons par élimination ! proposes-tu. Moi, j'écarte d'emblée Monsieur Moutarde. Je suis venue avec lui, et il est resté avec moi jusqu'au moment du drame. Il reste Madame Leblanc, Monsieur Olive et Monsieur Violet.

Mademoiselle Rose est toujours silencieuse.

— Est-ce qu'il y en a un des trois que vous élimineriez d'office ? lui demandes-tu.

Elle réfléchit un instant.

— Oui, Monsieur Olive. Pour les mêmes raisons qui vous font écarter Monsieur Moutarde : nous sommes arrivés ensemble et nous ne nous sommes pas quittés jusqu'à ce que le docteur s'effondre.

— Très bien, reprends-tu. Il reste donc deux coupables potentiels.

 Va au 71.

79

Tu juges le comportement de Monsieur Violet très étrange. À sa place, tu ne te vanterais pas de cette histoire de poison. La coïncidence est tout de même troublante : il travaille sur un nouveau produit aux effets foudroyants, il demande des conseils au docteur Lenoir, et celui-ci meurt empoisonné quelques jours plus tard !

Sans parler du fait qu'il te place au premier rang sur la liste de ses suspects !

Tu es persuadée qu'il se paie ta tête et tu n'accordes plus aucun crédit à tout ce qu'il a pu te raconter ce soir.

— Vous me faites perdre mon temps, lui lances-tu. Vous dites n'importe quoi pour vous rendre intéressant.

— Pardon ? explose-t-il.

Tous les autres se tournent vers vous. Tu fais signe à Monsieur Violet de parler moins fort, mais il ne semble pas prêt à le faire.

— C'est vous qui m'importunez avec vos questions, Madame Pervenche ! s'écrie-t-il. Je ne vous ai rien demandé.

— Que se passe-t-il ? intervient Madame Leblanc.

— Rien, t'empresses-tu de répondre. Monsieur Violet est sur les nerfs.

— Je ne suis pas sur les nerfs ! hurle-t-il. Vous êtes tous fous à lier, dans cette maison !

Il est rouge de colère. Tu ne dis plus rien en espérant qu'il se calmera tout seul. Ce qu'il finit par faire. Mais son premier geste est d'utiliser son téléphone portable pour appeler la police.

— La comédie a assez duré ! lance-t-il en guise de conclusion.

Perdu !

**Regardons les choses en face :
ton enquête est un désastre.
Il est temps de te ressaisir et de retenter
ta chance !**

Lorsque vous êtes à nouveau réunis tous les six au salon, tu lances à Monsieur Violet :

— Votre réaction violente vis-à-vis de moi et votre tentative de fuite m'autorisent à penser que vous avez tué le docteur.

— Je le répète : vous êtes folle !

— En dehors de Monsieur Violet, qui s'oppose à mes conclusions ? demandes-tu.

Personne ne répond.

— Dans ce cas, je vais appeler la police.

Comme aucun des convives du docteur ne te prie de ne pas le faire, tu sors ton téléphone et composes le numéro d'urgence.

L'inspecteur Lapipe et son équipe seront là dans quelques instants, et ton assurance fondra rapidement car tu n'étais pas du tout sur la bonne piste. Dommage !

FIN

Ce n'est pas parce qu'un suspect se défend
maladroitement qu'il est le coupable.
Tu vas devoir recommencer depuis le début.

L'union fait la force, et la colla-boration d'un des convives du docteur dans la lourde tâche que tu t'es toi-même imposée n'aurait rien de superflu.

Mais tu n'as pas droit à l'erreur. Si tu proposes ce partenariat au coupable, dans le meilleur des cas, il se fera un malin plaisir de t'induire en erreur. Mieux vaut ne pas penser au pire...

Tu réfléchis intensément avant de te décider. Parmi les cinq personnes qui t'entourent, il n'y en a que deux qui te paraissent susceptibles de jouer le rôle de coéquipier, au-dessus de tout soupçon : Monsieur Moutarde, parce que vous êtes arrivés ensemble et qu'il ne t'a pas quittée d'une semelle depuis, et Mademoiselle Rose, qui t'a toujours inspiré confiance et que tu ne parviens pas à imaginer dans le rôle d'une meurtrière.

Si tu choisis Monsieur Moutarde, va au 64.

Si tu préfères Mademoiselle Rose, va au 70.

Avant de refermer tes mâchoires sur la confiserie, tu te ravises. Il est question d'empoisonnement ce soir, et de mystérieux chocolats ont suscité des chuchotements en ton absence. La prudence t'impose de ne pas prendre de risques.

Tu remets la truffe dans sa boîte et décides de retourner au salon.

Avant de quitter la cuisine, tu t'adresses au majordome.

— Ressaisissez-vous, Antoine ! Je vous promets d'identifier le coupable avant l'arrivée de la police. Préparez-nous du café, s'il vous plaît, nous en avons tous besoin !

 Va au 89.

— Pourquoi a-t-il tué le docteur et comment savez-vous que c'est lui ? Et surtout quelles preuves avez-vous ? demandes-tu.

— Pour ce qui est du mobile, il s'en expliquera lui-même. J'ai cru comprendre qu'il s'agissait d'un problème d'argent. En revanche, pour les preuves, je peux vous répondre beaucoup plus concrètement.

Cette conversation devient subitement passionnante.

— Je vous écoute.

— Monsieur Olive a dans une poche de sa veste un petit flacon, prétendument rempli de collyre. Il s'agit en fait d'un poison mortel dont il a versé quelques gouttes dans le jus de fruit du docteur quand nous étions encore au salon.

— Vous êtes certaine de ce que vous avancez ?

— Absolument ! Et au cas où les choses tourneraient mal, il a pris la précaution de venir armé.

— Armé ?

— Oui, il a un revolver sur lui.

Tu jubiles intérieurement. Cette chère Mademoiselle Rose vient de faire avancer ton enquête d'un pas de géant.

— Je vous en prie, ne dites pas que c'est moi qui vous ai révélé tout ça, ajoute-t-elle.

— Je vous le promets, la rassures-tu.

Tu ne prends pas beaucoup de risques. Cette petite conversation que vous venez d'avoir toutes les deux mettra fatalement la puce à l'oreille de Monsieur Olive : tu ne devrais même pas avoir besoin de citer tes sources.

— Retournez au salon, je vous y rejoins dans deux minutes.

Une décision importante s'impose !

 Si tu penses que l'effet de surprise ne peut que jouer en ta faveur et que tu possèdes assez de cartes en main pour accuser Monsieur Olive, va directement au 76.

Si tu préfères demander à Monsieur Moutarde de le maîtriser et de le désarmer avant de l'affronter, va au 39.

84

Tu précèdes Mademoiselle Rose dans le couloir quand une violente douleur te déchire le crâne. Le coup est si fort que tu perds connaissance et t'écroules.

Tu te réveilles allongée sur le canapé du salon. L'inspecteur Lapipe et son équipe sont là. Madame Leblanc est à ton chevet, humidifiant ton front avec une compresse. Monsieur Violet est assis face à toi, le regard éteint, complètement hagard. Tu tournes la tête et remarques le corps étendu de Monsieur Moutarde, inanimé, les vêtements imprégnés de sang.

— Que s'est-il passé ? demandes-tu à Madame Leblanc.

— Calmez-vous, l'ambulance arrive.

— Mais qu'est-il arrivé à Monsieur Moutarde ?

— Il s'est battu avec Monsieur Olive.

— Quoi ? Et c'est Monsieur Moutarde qui se retrouve par terre ?

— Comment voulez-vous lutter à mains nues face à un revolver ?

Tu n'y comprends plus rien.

— Où sont Mademoiselle Rose et Monsieur Olive ? interroges-tu.

— Cessez de vous agiter, vous avez reçu un coup très violent !

Tu n'en sauras pas beaucoup plus avant que l'ambulance ne vous emporte, Monsieur Moutarde et toi. Tu apprendras la vérité un peu plus tard lorsque l'enquête aura été bouclée. La tienne ne prenait pas du tout la bonne direction.

Pour connaître la vérité sur ce qu'il s'est passé, reviens sur les choix que tu as pu faire depuis le début de l'enquête, et les réponses à tes questions s'imposeront d'elles-mêmes.

85

— M ais vous constatez quoi ?
demande Monsieur Violet.

— Eh bien, que vous manipulez des poisons pour vos prétendues recherches et que, ce soir, le docteur Lenoir est mort d'empoisonnement. Le lien est évident, n'est-ce pas ? Sans doute avez-vous eu envie de vous livrer à des travaux pratiques ce soir ?

— Vous dites n'importe quoi ! proteste Monsieur Violet, dont l'assurance et la moquerie habituelles ont disparu. Si j'avais été boucher et qu'on avait tué le docteur avec un couteau de cuisine, vous m'auriez aussi accusé ?

— Votre défense laisse à désirer ! intervient Monsieur Olive. Lorsqu'on joue les apprentis sorciers, il faut en assumer les conséquences.

Mademoiselle Rose se tourne alors vers toi.

— Qu'en pensez-vous, Madame Pervenche ? Pour moi, l'énigme est résolue. Monsieur Violet est le coupable !

Tu ne sais pas quoi penser. Le raisonnement de Mademoiselle Rose te semble logique, mais tu es gênée par la manière dont elle s'est approprié ton enquête.

Tu te tournes vers Monsieur Moutarde, qui fuit ton regard. Sans doute ne veut-il pas se prononcer. Quant à Madame Leblanc, elle décide de prendre la parole avant que tu la lui donnes.

— Je pense que Mademoiselle Rose a raison. De toute façon, nous n'irons pas plus loin. Il est temps d'appeler la police.

— Très bien, conclus-tu. Je me range à l'opinion de la majorité.

— Puisque Monsieur Olive m'a accompagnée ici, reprend Mademoiselle Rose, je propose de rester avec lui et Monsieur Violet jusqu'à l'arrivée de la police. Les autres, autant rentrer chez vous ; il est inutile que nous perdions tous notre temps avec des formalités administratives.

Elle se tourne vers Monsieur Olive.

— Si vous êtes d'accord, naturellement.

— Bien sûr, répond-il. Je vous ai conduite ici, je vous raccompagnerai chez vous quand nous n'aurons plus rien à faire dans cette maison.

— Et moi ? Personne ne me demande mon avis ? interroge soudain Monsieur Violet.

— Vous vous expliquerez avec la police ! lui répond Monsieur Olive, autoritaire.

Si tu acceptes la proposition de Mademoiselle Rose, va au 15.

Si tu la refuses, va au 90.

86

Mademoiselle Rose sort du bureau et te laisse seule. Tu n'es pas satisfaite de toi. Tu as mal manœuvré, tu as été trop agressive. Résultat : Mademoiselle Rose s'est refermée comme une huître, et tu ne tireras plus rien d'elle.

Tu réfléchis à une façon de sortir de cette impasse, mais aucune idée géniale ne te vient à l'esprit pour le moment.

Tu retournes donc à ton tour au salon et perçois en y entrant comme une atmosphère hostile envers toi. Tu es reçue par des œillades noires et des airs méprisants. On dirait bien que Mademoiselle Rose a parlé, mais va savoir ce qu'elle a pu dire à ton sujet ! Certainement pas des choses flatteuses. Que faire ?

Tu tentes de renouer le dialogue avec Madame Leblanc, mais elle t'ignore. Même Monsieur Moutarde, ton conducteur d'un jour, te tourne le dos.

— Je ne sais pas ce que vous a raconté Mademoiselle Rose, lances-tu, mais c'est certainement un tissu de mensonges destiné à me discréditer.

Personne ne semble t'écouter.

Discréditée, tu l'es totalement, à présent.

Quelques secondes s'écoulent, puis Monsieur Violet sort son téléphone et appelle les secours, sans demander l'avis de personne. La mission que tu t'es donnée s'arrête là, par la force des choses.

Tu t'es crue plus forte que Mademoiselle Rose, mais tu as perdu. Ne sous-estime personne et ne néglige rien ! Garde en mémoire cette devise et recommence !

87

D e retour au salon, tu interpelles Monsieur Violet :

— Je viens de lire un e-mail passionnant que
vous avez adressé au docteur, il y a tout juste
quatre jours.

Il te regarde, l'air surpris.

— Il y est question de la mise au point d'un
poison extraordinaire. Je développe, ou ça
vous revient ?

— En effet, je communiquais avec le docteur
à ce sujet, mais quel est le problème ?

— Au cas où cela vous aurait échappé, le
docteur a été empoisonné, ce soir, réponds-tu.
N'importe quel enquêteur fera le lien !

— C'est là toute la différence entre un
enquêteur quelconque et un bon enquêteur,
car je n'ai rien à voir avec ce qu'il s'est passé
ce soir.

— Avouez que la coïncidence est troublante.

— Encore une fois, un bon enquêteur ne se
laisse pas abuser par des coïncidences, aussi
troublantes soient-elles. Un conseil, Madame
Pervenche, oubliez ce rôle que vous vous êtes
assigné ! Cantonnez-vous au monde creux et
sans valeur de la politique où il vous est facile
de briller !

Tu encaisses le coup comme s'il s'agissait d'un direct en pleine face. Tu dois riposter.

— Ce n'est pas en étant agressif que vous dissiperez les soupçons qui pèsent sur vous, dis-tu.

— Aucun soupçon ne pèse sur moi ! s'écrie-t-il. Cessez cette comédie, ça devient grotesque !

Il se tourne vers les autres convives pour les prendre à témoin. *A priori*, aucun ne semble vouloir prendre parti.

— Allez-y, dites ce que vous pensez ! insistes-tu. Cet e-mail que j'ai découvert est-il à prendre au sérieux et trouvez-vous la défense de Monsieur Violet recevable ?

Madame Leblanc est la première à se mouiller.

— Je pense qu'un suspect qui n'a rien à se reprocher ne se comporte pas comme ça, et je sais de quoi je parle, j'en croise tous les jours dans mon métier.

— Moi, je trouve qu'il vous a mal parlé, intervient Monsieur Moutarde. Monsieur Violet vous doit des excuses.

Tu te tournes vers Monsieur Olive.

— On dirait que Monsieur Violet est dans de sales draps, avance-t-il.

Enfin, tous les regards convergent sur Mademoiselle Rose.

— Je n'ai pas d'opinion, lâche-t-elle.

Si tu penses qu'il est temps de passer à l'accusation de Monsieur Violet, va au 26.

Si, par acquit de conscience, tu préfères aller fouiller la chambre du docteur dans un premier temps, va au 77.

88

Tu es convaincue qu'il cherche à te provoquer ou qu'il se moque de toi. Tu balaies le salon du regard pour t'assurer que personne ne vous écoute.

— Et la seconde ?

— Vous ne voulez pas savoir pourquoi vous êtes en première ligne ?

— C'est inutile. Je suis bien placée pour savoir qu'en l'occurrence votre intuition vous joue des tours.

— Alors, à quoi bon mentionner la seconde personne ?

— Dites toujours !

— Monsieur Olive.

— Pourquoi lui ?

— Je trouve son comportement étrange. Il est plus nerveux que d'habitude. Ce n'est pas le Monsieur Olive charmeur et chaleureux que je connais…

— Intéressant !

Tu décides de changer de sujet.

— Au fait, quels ont été vos derniers échanges avec le docteur ? Vous l'avez vu récemment ?

— Oui, nous avons des contacts assez réguliers. Nous parlons science, nous échangeons des informations, nous débattons…

— Quel était votre dernier sujet de débat ?
Monsieur Violet se tourne vers toi.

— Figurez-vous que je suis en train de mettre au point un poison révolutionnaire !

— Je vous demande pardon ?

 Fonce au 19.

89

Lorsque tu entres dans le salon en brandissant la boîte de chocolats, Mademoiselle Rose blêmit.

— Ce sont ces chocolats qui vous préoccupent tant ? lui demandes-tu.

— Je ne comprends pas ce que vous voulez dire.

— Alors, faites-moi plaisir : prenez-en un !

Tu lui présentes la boîte ouverte sous le nez.

— Non, merci ! répond-elle, embarrassée.

— Je croyais que vous aimiez les chocolats, Mademoiselle Rose, insistes-tu.

— Je ne pourrai rien avaler ce soir, après ce qu'il s'est passé.

Tu changes de ton.

— Faites un effort ! Un refus ferait de vous le principal suspect.

Visiblement, Mademoiselle Rose n'a pas l'intention de se forcer.

— Vous voyez bien que Mademoiselle Rose est toute retournée ! intervient Monsieur Olive. Cessez de l'ennuyer avec ces malheureux chocolats ! Vous croyez qu'ils sont empoisonnés et qu'elle en a fait manger un au docteur ?

— C'est vous qui le dites ! le corriges-tu. On m'a rapporté tout à l'heure, lorsque je me suis absentée, que vous vous inquiétiez tous les deux à propos de chocolats. Il est normal que ça ait piqué ma curiosité.

Monsieur Olive ricane.

— Je vais vous rassurer en vous prouvant que nous n'avons rien à voir avec cette histoire d'empoisonnement.

Il se lève et prend une truffe dans la boîte.

Le silence s'abat.

Monsieur Olive ouvre la bouche et, sans la moindre hésitation, croque à pleines dents dans le chocolat.

— Mummm ! Absolument délicieux ! lâche-t-il en se léchant les doigts.

Vous l'observez tous avec fascination. Mademoiselle Rose a un petit sourire narquois, l'air de dire : « Qu'est-ce qu'on vous disait ! Vous êtes rassurés, à présent ? »

Monsieur Violet se dresse à son tour.

— Une petite minute !

Il s'approche de la boîte.

— Vous permettez ?

Va vite au 52.

90

Cette fois, Mademoiselle Rose dépasse les bornes. Tu lui as gentiment proposé de devenir ta coéquipière et elle s'est totalement approprié l'enquête. C'est elle qui la dirige à présent ! Elle ne te consulte même plus avant de prendre des décisions. Il est hors de question de la laisser faire !

— Mademoiselle Rose, c'est moi qui ai décidé de cette enquête ! Si quelqu'un doit rester ici jusqu'à l'arrivée de la police, c'est moi !

— Mais je n'y vois aucun inconvénient, te rassure Mademoiselle Rose. Je proposais ça pour vous être aimable à tous. Dans ce cas, restez avec Monsieur Moutarde.

Tu te tournes vers ton chauffeur du jour, qui hoche la tête comme pour te dire qu'il t'attendra.

— Ce que je pense n'intéresse toujours personne ? interroge Monsieur Violet.

— Gardez vos forces pour l'interrogatoire de la police ! le rabroue Mademoiselle Rose.

Quelques instants plus tard, tu te retrouves avec Messieurs Moutarde et Violet. Les autres sont partis. Tu appelles enfin la police et vas très vite apprendre que tu t'es fait embobiner. Les véritables coupables ne sont plus là !

Reprends ton enquête depuis le début,
en essayant, cette fois, de te montrer plus forte
et de t'imposer !

Lors de ton retour au salon, tu observes Monsieur Violet du coin de l'œil. Il te paraît parfaitement à l'aise. Tu prends ton courage à deux mains et t'approches de lui.

— J'aimerais vous montrer quelque chose, Monsieur Violet. Vous voulez bien me suivre ?

— Avec grand plaisir ! répond-il. J'ai besoin de me dégourdir les jambes. Les veillées funèbres, ce n'est pas ma tasse de thé !

Tu adresses un nouveau clin d'œil à Monsieur Moutarde pour lui signifier que tu comptes sur lui pour surveiller les autres, et tu guides Monsieur Violet jusqu'au bureau.

— Lisez l'e-mail à l'écran... lui dis-tu tout en désignant le fauteuil du docteur.

Il s'assied derrière le bureau et se met à lire. Au bout de quelques secondes, il émet un petit ricanement.

— Vous reconnaissez votre message ? demandes-tu.

— Naturellement !

— Et ça vous fait rire ?

— Ce doit être nerveux !

— Nerveux ou pas, je ne trouve pas ça drôle du tout, et la police sera très certainement de mon avis. Vous mettez au point un nouveau poison, vous en parlez au docteur, et quelques jours plus tard, il est victime d'un empoisonnement. Vous ne voyez pas là une coïncidence qui risque de vous coûter cher ?

— Ce qui me fait rire, c'est votre raccourci ridicule. Il y a trente-six sortes de poison, et celui auquel je m'intéresse n'en est encore qu'au stade de l'étude. Il est loin d'être opérationnel.

— Votre explication n'est pas convaincante. En tout cas, elle ne ressemble en rien à un alibi. Et je pense que c'est de cela que vous allez avoir besoin, Monsieur Violet !

— Vous êtes complètement folle !

Il se dresse d'un bond.

— Où allez-vous ? demandes-tu.

— Je m'en vais de cette maison où on tue et on juge avec autant de légèreté !

Tu te mets sur son passage pour l'empêcher de sortir, mais, sans hésiter, il te pousse. Tu résistes et il te bouscule plus violemment. Tu perds l'équilibre et tombes par terre.

 Va vite au 66.

POUR DÉCOUVRIR TOUS
LES TITRES DE LA COLLECTION
« AVENTURES SUR MESURE »
ET BIEN D'AUTRES ENCORE,
FONCE SUR LE SITE :
WWW.BIBLIOTHEQUE-VERTE.COM

INCARNE MONSIEUR MOUTARDE, MADEMOISELLE ROSE ET MONSIEUR OLIVE POUR TENTER DE RÉSOUDRE LE MEURTRE DU DOCTEUR LENOIR !

JOUER AU DÉTECTIVE T'A PLU ?
LA PROCHAINE FOIS, GLISSE-TOI DANS
LA PEAU DE MONSIEUR VIOLET
POUR MENER UNE NOUVELLE ENQUÊTE !

RETROUVE D'AUTRES AVENTURES SUR MESURE DANS LA BIBLIOTHÈQUE VERTE !

À la conquête du trésor   Les mystères du Fort

Tu as toujours rêvé de participer
à Fort Boyard ? N'attends plus !
Viens mesurer ta force et ton courage dans les célèbres
épreuves du Fort et tente de décrocher les clés qui
t'ouvriront la salle du Trésor.
Pour remporter les boyards, tu devras résoudre des énigmes...
et faire les bons choix. Tu es prêt ?

À toi de jouer !

La voie du Jedi

La bataille de Teth

Tu as toujours rêvé d'être un Jedi ?
C'est possible ! Vis des aventures extraordinaires
dans l'univers de Star Wars – The Clone Wars.

Mission spéciale

**L'armée secrète
de Dooku**

ET AUSSI...

Une invasion se prépare.
Elle va changer le cours de
l'Histoire... et de ta vie.
Le destin du monde est
entre tes mains.
Choisiras-tu de le sauver
ou de le détruire ?

Le choix de Dastan

C'est à toi
de décider !

Le destin de Tamina

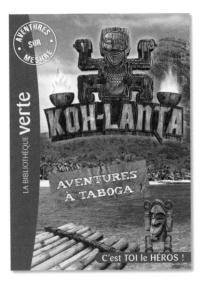

Pars à l'aventure avec Koh-Lanta !
Réussiras-tu à te dépasser
dans les épreuves ?
À former les bonnes alliances ?
Feras-tu les bons choix pour
parvenir jusqu'aux poteaux ?
C'est à toi de jouer !

Tu es prêt ?
À toi de jouer !

PAPIER À BASE DE
FIBRES CERTIFIÉES

⊞ hachette s'engage pour
l'environnement en réduisant
l'empreinte carbone de ses livres.
Celle de cet exemplaire est de :
700 g éq. CO_2
Rendez-vous sur
www.hachette-durable.fr

Photogravure Nord Compo - Villeneuve d'Ascq

Imprimé en Roumanie par G. Canale & C. S.A.
Dépôt légal : septembre 2013
Achevé d'imprimer : septembre 2013
20.4126.7/01 – ISBN 978-2-01-204126-4
Loi n° 49956 du 16 juillet 1949
sur les publications destinées à la jeunesse